De Bril van Anceaux

Anceaux's Glasses

colofon *colophon*

deze uitgave verschijnt bij de tentoonstelling: 'De Bril van Anceaux, volkenkundige fotografie van 1860 – heden' in het Rijksmuseum voor Volkenkunde in Leiden van 8 maart tot en met 8 september 2002

this book is published to coincide with the exhibition: 'Anceaux's glasses, anthropological photography 1860 till now' from March 8 – September 8, 2002 at the National Museum of Ethnology in Leiden, the Netherlands

uitgave ***publisher***

Waanders Uitgevers, Zwolle / Rijksmuseum voor Volkenkunde, Leiden

tekst en samenstelling ***text and compilation***

Linda Roodenburg

met bijdragen van ***contributors***

Gosewijn van Beek, Philip Jones, Eric Venbrux, Nol Wentholt

eindredactie ***editing***

Martijn de Rijk (ned), Astrid van Baalen (eng)

vertaling ***translation***

Don Mader

fototechniek ***phototechnics***

Jan van der Kooi

vormgeving ***design***

OPERA ontwerpers Breda (Marty Schoutsen, Ton Homburg)

druk ***printing***

Waanders Drukkers, Zwolle

ISBN 90 400 9617 1

NUGI 646, 653

Informatie over Waanders Uitgevers is te vinden op www.waanders.nl
Informatie over het Rijksmuseum voor Volkenkunde is te vinden op www.rmv.nl

Foto omslag: L.D. Brongersma: 'De bril van Anceaux!' Sterrengebergte, Nederlands Nieuw-Guinea, 1959

Photograph cover: L.D. Brongersma: 'Anceaux's glasses!' Mountains of the Stars, Dutch New Guinea, 1959

De Bril van Anceaux
Anceaux's Glasses

Volkenkundige fotografie vanaf 1860

Anthropological photography since 1860

Tekst en samenstelling

Text and compilation

Linda Roodenburg

Met bijdragen van

Contributors

Gosewijn van Beek

Eric Venbrux

Philip Jones

Nol Wentholt

Waanders Uitgevers, Zwolle

Rijksmuseum voor Volkenkunde, Leiden

INHOUD

CONTENTS

Preface

Ever since the camera has become available, ethnographers have been eager to employ this device in their fieldwork. Pictures soon became the complement to notebooks and material culture collections in that they could comprehensively capture and convey the context of the work in situ. And the easier the taking of pictures became, the more pictures the ethnographer was prepared to take. The National Museum of Ethnology in Leiden, however, did not - at first - actively engage itself in fieldwork. The museum acted as the repository of collections that had already come to the Netherlands and that were acquired by or on behalf of the State of the Netherlands. So during it's first 100 years, the museum only collected photographs that were offered to it. Some of them came along with collections of objects, but most of them were offered for sale by photographers from all around the world. For some 150 years now, ethnological museums have been absorbing and storing vast amounts of such photographs. They constituted the extended memory of the curator who had personally taken or acquired them, and who would rummage through his archives when illustrations were needed for a catalogue, for an exhibition, for a book, or a slide show. And when the curator retired, the photographs would start to collect dust and fall into oblivion. Hence, the museum's photo archives were never available to the outside world. The incidental scholar who tried to get access to them would have a difficult time in finding his way through. Simply because these photographs were part of the private rather than the public domain in the museum. Simply because there were so many photographs that you could not retrieve any. And, simply because photographs were not core business, but rather a set of tools.
This situation is now changing. Over the last few years, Linda Roodenburg has been instrumental in creating a new awareness within our institution of the importance of the photographic collections. Indeed, these dusty historical photographs are in fact a vast source of information about the changing relations between the portrayer and the portrayed, about the scholar and his subject, about the 'civilised' and the 'primitive', and so on and so forth.
That is why the museum has been investing time and energy over the last two years in establishing intellectual control of the photo-collections, and in moving these collections into new and appropriate stores. They have now been made available for any researcher who wants to get access. With this exhibition we are celebrating the coming-out of our photo-collections. I hope that many more exhibitions will follow, in Leiden or elsewhere.

***Steven Engelsman**, director of the National Museum of Ethnology*

Voorwoord

Vanaf het moment dat het fototoestel beschikbaar kwam, hebben antropologen er gretig gebruik van gemaakt bij hun veldwerk. Foto's werden al snel een aanvulling op het notitieboek en de voorwerpen; het beeld kon de context en het werk ter plaatse goed vastleggen. En naarmate het makkelijker werd om foto's te maken, werden er meer foto's gemaakt.

Het Rijksmuseum voor Volkenkunde in Leiden was in zijn eerste honderd jaar niet actief in veldwerk. Het museum was een verzamelplaats voor collecties die op een of andere manier in Nederland terecht waren gekomen en die door of voor het Rijk werden aangekocht. In die periode verzamelde het museum uitsluitend foto's die werden aangeboden. Sommige kwamen mee met de voorwerpen die werden aangekocht, maar de meeste werden aangeboden door fotografen vanuit de hele wereld.

Sinds ongeveer 150 jaar hebben volkenkundige musea grote hoeveelheden van deze foto's verzameld en bewaard. De foto's waren een verlengstuk van het geheugen van de conservator die ze zelf gemaakt of verzameld had; als hij een foto nodig had voor een publicatie, een tentoonstelling of een lezing zocht hij in zijn eigen archieven. En als de conservator met pensioen ging werden de foto's vergeten.

De fotoarchieven van het museum waren niet beschikbaar voor de buitenwereld. De incidentele onderzoeker die probeerde er toegang toe te krijgen stuitte op grote barrières. Eenvoudigweg omdat de foto's meer tot de persoonlijke dan tot de publieke verzamelingen in het museum hoorden.
En omdat er zoveel foto's waren dat het onmogelijk was een enkele tevoorschijn te halen. En omdat fotografie geen kernactiviteit was, maar eerder als bron voor verder onderzoek fungeerde.

Die situatie verandert nu. De afgelopen jaren heeft Linda Roodenburg ervoor gezorgd dat in het museum het belang van de fotocollecties wordt gezien en onderkend. De stoffige, historische foto's blijken een enorme bron van informatie te bevatten met betrekking tot de veranderende relaties tussen de fotograaf en de geportretteerde, tussen de onderzoeker en zijn onderwerp, tussen het 'ontwikkelde' en het 'primitieve', enzovoort.

Daarom heeft het museum de afgelopen twee jaar een project uitgevoerd om de fotocollectie te ontsluiten en de verzameling te verhuizen naar nieuwe depots. De foto's zijn nu beschikbaar voor elke onderzoeker die er toegang toe wil krijgen. Met deze tentoonstelling vieren wij de 'coming out' van onze fotocollectie. Ik hoop dat er nog vele zullen volgen: in Leiden of op andere plaatsen.

Steven Engelsman, directeur Rijksmuseum voor Volkenkunde

‘Het kan een openbaring zijn om onszelf door de ogen van anderen te zien. Om anderen te zien als mensen met wie we wezenlijke dingen gemeen hebben getuigt alleen van elementair fatsoen. Maar veel moeilijker is het om onszelf te zien temidden van anderen, als een plaatselijk voorbeeld van de vormen die het menselijk bestaan heeft aangenomen, één geval onder vele, één wereld tussen andere werelden.’

Clifford Geertz

(Local Knowledge, 1983)

‘To see ourselves as others see us can be eye-opening. To see others as sharing a nature with ourselves is the merest decency. But it is a far more difficult achievement to see ourselves amongst others, as a particular example of the forms human life has locally taken, a case among cases, a world among worlds.’

De Bril van Anceaux

Anceaux's Glasses

Introduction

In 1988 a Dutch anthropologist showed a photograph to a Papuan in the interior of New Guinea. He had made the photograph a decade earlier during field research. The Papuan himself was in it, together with a couple of his friends. It was the first time in his life the Papuan had seen such a photograph. At first he held it upside down, but as he caught on he began to whoop at the recognition of his fellow tribesmen, who had since changed so much. His question was only who the other man was, standing in between them? You guessed it: it was the Papuan himself.
The Papuan lived in a region hardly ever visited by whites. It was still a blank spot on world maps. These unexplored areas are being charted since the beginning of the 19th century. The 19th century was a period in which the European colonial powers, including the Netherlands wanted to strengthen their grip on their colonial possessions. Some regions outside Europe had not yet been 'claimed' by anyone, the borders between their claims were still to be drawn up, and indigenous populations were not yet entirely under colonial domination.
Expeditions were mounted often involving hundreds of people. Army units accompanied the expeditions to protect against hostile tribes, the necessary bearers were recruited to transport the supplies and build the encampments, and scientists went along to investigate the possibilities for exploitation of the land and its natural resources.
If the journey was not thought too dangerous, researchers were also brought along to study the indigenous peoples. This was not just out of scientific curiosity, but also necessary to help determine whether the population would resist colonial domination. First contacts were made, sometimes easily, but more often there would be casualties.
Photography was discovered during this same period. Shortly after the official disclosure of the photographic procedure in 1839, the first photographers were going out to colonial territories. Already by the 1840s they were coming back with the first successful photographs. They took photographs primarily of archaeological structures such as the temple of Borobudur in the Dutch East Indies or the pyramids of Giza. The exposure times for making these daguerreotypes were extremely long, but after the invention of a simpler and reproducible procedure other photographers quickly followed.
Some accompanied expeditions, others went out on their own, and still others established themselves as photographers in the larger cities in the colonies.
Their photographs captured for the first time Papuans, Indians, pygmies and other peoples who appealed to the imagination. There had been accounts of these strange peoples and there were drawings in books, but of course these could not compete with the reality of the photographs.
The 19th century is also the era in

Inleiding

Een Nederlands antropoloog liet in 1988 een foto zien aan een Papoea in de binnenlanden van Nieuw-Guinea. Hij had de foto 10 jaar daarvoor gemaakt tijdens zijn veldonderzoek. De Papoea stond er zelf op tussen een paar van zijn vrienden. Voor het eerst in zijn leven zag hij een dergelijke foto. Hij hield hem eerst op zijn kop, maar toen hij de truc door had begon hij te joelen bij het herkennen van zijn stamgenoten, die inmiddels zo veranderd waren. Zijn vraag was alleen wie die andere man was, die er tussen stond.
U raadt het al: dat was hij zelf.
De Papoea woonde in een gebied dat nog nauwelijks bezocht was door blanken. Het was een witte vlek op de wereldkaart. Vanaf het begin van de 19de eeuw worden dergelijke onbekende gebieden in kaart gebracht. De 19de eeuw is de periode waarin de Europese koloniale mogendheden, waaronder Nederland, hun greep op de koloniale bezittingen willen versterken. Sommige gebieden buiten Europa zijn nog 'van niemand', de grenzen van de eigen claims zijn nog niet vastgesteld en de inheemse bevolking is nog niet helemaal onder koloniaal bestuur gebracht.
Er worden expedities op touw gezet waar vaak honderden mensen bij betrokken zijn. Militairen gaan mee om de expeditie te beschermen tegen vijandige stammen, geronselde dragers zijn nodig voor het transporteren van de voorraden en het bouwen van kampementen, wetenschappers gaan mee voor het onderzoek naar exploitatiemogelijkheden en bodemschatten. Als men de tocht als niet al te gevaarlijk inschat gaan er ook onderzoekers mee om de inheemse bevolking te bestuderen. Dat is niet alleen wetenschappelijk interessant, maar ook nodig om in te kunnen schatten of de bevolking zich tegen overheersing zal verzetten. De eerste contacten komen tot stand, soms gemakkelijk, maar vaker vallen er doden.
In dezelfde periode wordt de fotografie uitgevonden. Kort na de officiële bekendmaking van het fotografisch procédé in 1839 vertrekken de eerste fotografen naar de koloniale gebieden. Al in de jaren '40 komen ze terug met de eerste gelukte opnamen. Het zijn voornamelijk foto's van archeologische bouwwerken zoals de Borobudurtempel in Nederlands-Indië of de piramides in Gizeh. De sluitertijden zijn extreem lang voor het maken van deze daguerreotypieën, maar na de uitvinding van een eenvoudiger en reproduceerbaar procédé volgen er spoedig veel meer fotografen. Sommigen gaan mee op expedities, anderen gaan er alleen op uit en weer anderen vestigen zich als fotograaf in de grotere steden van de koloniën.
Ze maken foto's waarop voor het eerst Papoea's, indianen, pygmeeën en andere tot de verbeelding sprekende volken te zien zijn. Er gingen wel verhalen over die vreemde volken en er stonden tekeningen in boeken, maar tegen de realiteit van de foto's konden deze natuurlijk niet op.
De 19de eeuw is ook de eeuw waarin de volkenkunde zich ontwikkelt tot een zelfstandige wetenschappelijke discipline. Exotische voorwerpen, dieren en

planten worden verzameld, buit gemaakt en aangekocht. Olifanten en tijgers kunnen nu in Europa in het echt gezien worden. Ook geprepareerd en opgezet lijkt het alsof ze zo uit de wildernis het museum zijn binnengewandeld. Expedities en veldtochten leveren veel van dit materiaal op. De verzamelingen komen terecht in musea die speciaal voor dit doel worden opgericht, waaronder het huidige Rijksmuseum voor Volkenkunde. Fotografie speelt een belangrijke rol in deze beginfase van volkenkundig onderzoek. Net als de opgezette olifanten en tijgers worden de foto's van exotische mensen moeiteloos geaccepteerd als getrouwe weergaven van een werkelijkheid ver weg.

Over de collectie in Leiden gingen de laatste jaren steeds meer verhalen. Daar moest bijzonder historisch materiaal te vinden zijn, zoals er al eerder bijzonder materiaal in het Koninklijk Instituut voor de Tropen, het Wereldmuseum in Rotterdam en het Koninklijk Instituut voor Taal-, Land- en Volkenkunde gevonden was, om de drie andere grote volkenkundige fotografiecollecties in Nederland te noemen.
De fotocollectie was net als andere koloniale archieven in de loop van de 20ste eeuw zelf een terra incognita geworden. Ze bleef lange tijd gesloten voor nieuwsgierigen die aan de poorten rammelden. De gedachte dat geheimen er zijn om bewaard te blijven, bleef tot voor kort het leidende principe ten aanzien van de fotocollectie van het museum.
Met deze publicatie en eerste tentoonstelling die de collectie fotografie zélf als onderwerp heeft is die tijd voorbij. De foto's over verre landen en pas ontdekte culturen zijn nu zelf ontdekt, globaal in kaart en onder klimaatbeheersing gebracht. De gehele collectie bevat naar schatting 350.000 beelden, waarvan een belangrijk deel gemaakt is tussen 1860 en 1920. Over sommige foto's en fotografen weten we veel, over andere vrijwel niets, maar dat laatste is geen reden geweest om ze niet op te nemen. Misschien inspireert het anderen om de zoektocht voort te zetten.
Ook al zijn de ideeën achter de foto's in dit boek niet altijd meer gangbaar en in extreme gevallen schaamteverwekkend, toch horen de hier getoonde makers en opdrachtgevers thuis in de geschiedschrijving van de fotografie, die tot nu toe nog nauwelijks toegekomen is aan de fotografie van en over niet-westerse samenlevingen. Fotohistorici waren tot voor kort vooral kunsthistorici. Naar analogie van etnocentrisme, een term uit de antropologie die betekent dat je een andere cultuur beoordeelt naar de maatstaven van je eigen cultuur, keken zij vooral met een artocentrische blik naar de fotografiegeschiedenis.

Onze overgrootouders hadden het voorrecht om zich te kunnen vergapen aan de eerste antropologische foto's. Wij hebben een ander voorrecht: we kunnen naar oude foto's kijken, terug in de tijd, om onze eigen tijd scherper in beeld te krijgen. Uitleg bij de foto's verhindert niet dat ze door iedereen verschillend beleefd zullen worden. Nostalgie over een verloren wereld, romantische gedachten over 'nobele wilden' die in harmonie leven met de natuur, verontwaardiging over de verwoestingen die we als beschaafde kolonialen aangebracht hebben, schaamte over de arrogantie van de westerling die zich het land toeëigende en de bevolking exploiteerde, maar ook bewondering voor

which ethnology developed into an independent scientific discipline. Exotic objects, animals and plants were collected, seized or purchased. Elephants and tigers could now be seen in Europe. Even stuffed and mounted, it looked as if they had wandered out of the wilderness into the museum. Expeditions and military campaigns produced much of this material. The collections ended up in museums which were established especially for this purpose, including the present Rijksmuseum voor Volkenkunde (National Museum of Ethnology). Photography played an important role in this early phase of anthropological research. Like the stuffed elephants and tigers, the photographs of exotic people were accepted without difficulty as trustworthy depictions of a distant reality.

In recent years ever more stories began to circulate concerning the collection in Leiden. It must contain rare historical objects, just as unique material had emerged from the holdings of the Royal Tropical Institute in Amsterdam, the World Museum in Rotterdam and the Royal Institute of Linguistics and Anthropology in Leiden, to name the three other large ethnological photography collections in the Netherlands.
Like other colonial archives, in the course of the 20th century the photography collection had become itself terra incognita. For a long time it remained closed to the curious who knocked at the gates. Until recently, the idea that secrets are meant to be kept was the guiding principle behind the Museum's photographic collection.
With this publication and exhibition, which for the first time focuses on the photography collection as a subject itself, that time is past. The photographs of distant lands and only recently discovered cultures have now themselves been discovered, broadly mapped out, and stored under climate controlled conditions. The whole collection contains an estimated 350,000 images, of which a large proportion were made between 1860 and 1920. We know a considerable amount about some photographs and photographers, almost nothing about others, but this is no reason not to include them. Perhaps it will inspire others to continue the search for their background.
Although the thinking behind the photographs in this book is generally no longer acceptable - and in extreme cases indeed is a cause for shame - their makers and those who commissioned their making are still part of the history of photography, which until now has hardly gotten around to examining photography from and about non-Western societies. Until now, photo historians were chiefly art historians. Analogous to ethnocentrism, a term from anthropology which means that you judge another culture by the standards of your own culture, they looked at the history of photography chiefly with an 'artocentric' gaze.

Our great grandparents had the privilege of being able to gape at the first anthropological photographs. We have a different privilege: we can look at old photographs, looking back in time, in order to get a better picture of our own times. One historian's reading of the photographs does not preclude their being experienced differently by another: nostalgia for a lost world, romantic thoughts about 'noble savages' who live in harmony with nature, indignation about the destruction we brought about as 'civilised' colonials, shame about the arrogance of Westerners who appropriated the land and exploited its population, but also amazement at the work of individual photographers who recorded the lives of other people with craftsmanship and respect. Photographs from the colonial and post-colonial era are not just stigmatising and ethnocentric. That is an outdated image, a caricature. There were diverse interests, ideas and techniques found among the makers of these photographs, from professional photographers to missionaries. Moreover, they were published in various ways, and with varying intentions. Anyone wishing to obtain insight on the basis of these photographs into the influence they have on our imagination, must know more about their backgrounds.

Professor Anceaux, a well known Dutch linguist, in 1959 a participant on the last Dutch expedition to the interior of New Guinea, gave his glasses to a Papuan. The leader of the expedition, Brongersma, took a photograph of the encounter, which appears on the cover of this book. Anceaux's glasses are a symbol of the Western gaze on others and the Papuan who has put Anceaux's glasses on is a symbol for all of those who can now look back at us. The Museum invites us to look at this photograph and the collection. Like the Papuan at the beginning of this introduction who first realised that you should not hold a photograph upside down - discover that you yourself are in that photograph.

het werk van individuele fotografen die met vakmanschap en respect het leven van andere mensen hebben vastgelegd.
Foto's uit de koloniale en postkoloniale tijd zijn niet alleen stigmatiserend en etnocentrisch. Dat is een achterhaald, karikaturaal beeld. Tussen de makers – van professionele fotografen tot zendelingen – bestonden grote verschillen in belangen, ideeën en technieken. Bovendien vond publicatie op uiteenlopende manieren en met wisselende bedoelingen plaats. Wie aan de hand van deze foto's inzicht wil krijgen in de invloed die ze hebben op ons voorstellingsvermogen, moet dus meer weten over de achtergronden.
Professor Anceaux, bekend Nederlands taalkundige, in 1959 deelnemer aan de laatste Nederlandse expeditie naar het binnenland van Nieuw-Guinea, gaf zijn bril aan een Papoea. Expeditieleider Brongersma maakte daar een foto van, de omslagfoto van dit boek. De bril van Anceaux als symbool voor de westerse blik op de anderen en de Papoea die Anceaux's bril heeft opgezet als symbool voor alle anderen die nu kunnen terugkijken, naar ons. Nu gunt het museum u een blik op deze foto en in de collectie. Kijk zelf zoals die Papoea aan het begin van deze inleiding die erachter kwam dat je de foto niet op zijn kop moet houden en ontdek dat u er zelf ook op staat.

Susan Meiselas: Dani,
Baliemvalley, West Papua,
1989.

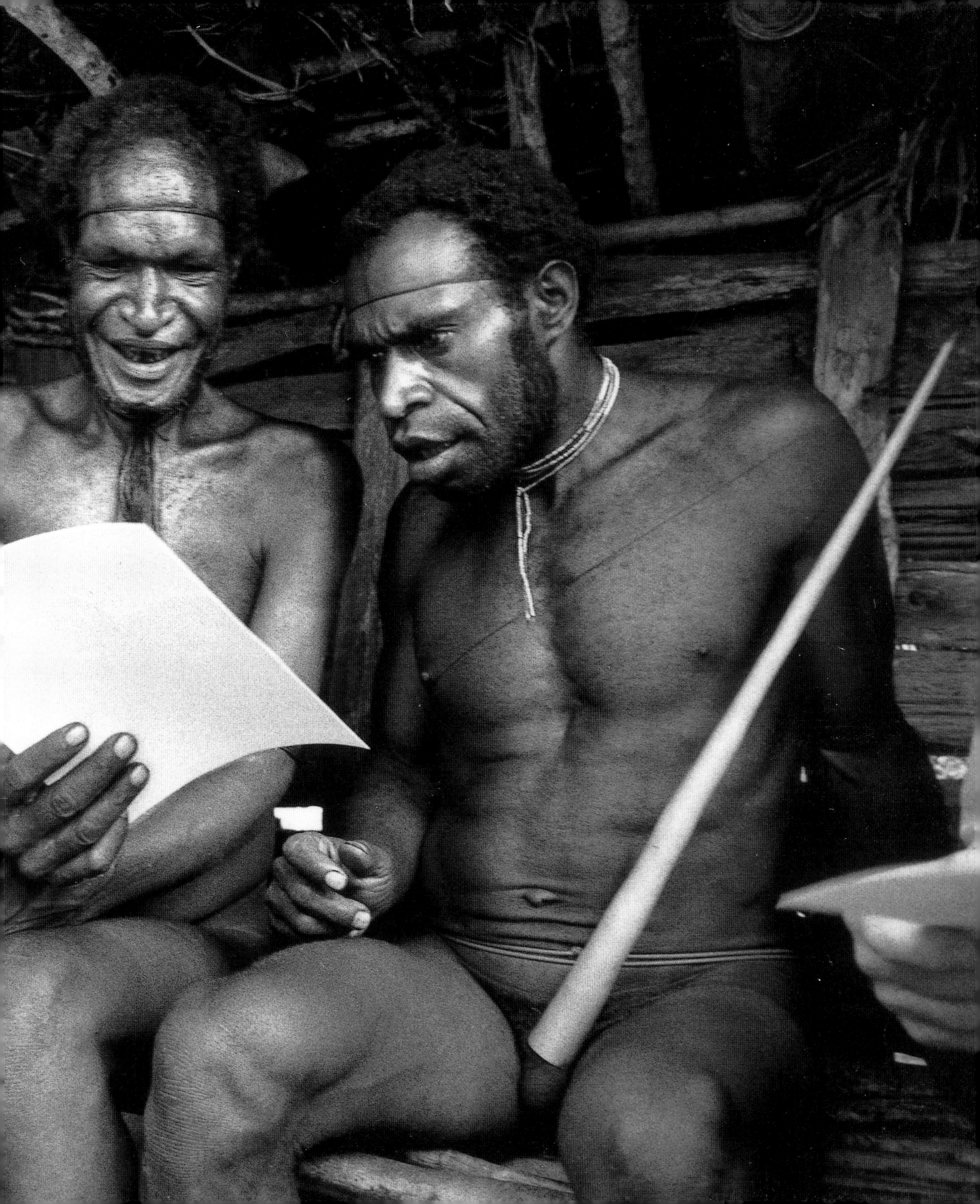

Fotografie in koloniale en antropologische context

Photography in colonial and anthropological context

Vic de Bruyn

(Het Verdwenen Volk)[1]

'In Nieuw-Guinea moet je om te kunnen besturen naar de bevolking gaan. In Indonesië komt de bevolking naar de bestuursambtenaar. Dat is het grote verschil.'

'In order to administer New Guinea you must go the people. In Indonesia the people come to the administrator. That is the great difference.'

Nederlands-Indië

Ook Nederland bezint zich als koloniale mogendheid aan het begin van de 19de eeuw op haar bezittingen aan de andere kant van de oceaan. De gouden tijden van handel in slaven uit Afrika en producten uit Indië zijn verleden tijd. De koloniën leveren geen economisch voordeel op, er moet geld bij om de productie op de plantages draaiende te houden.
Op Java, het bestuurlijk en economisch centrum van Nederlandse Indië, wordt in 1830 het Cultuurstelsel ingevoerd. De Nederlandse overheid bepaalt als eigenaar van de gronden voortaan wat en hoeveel er verbouwd mag worden en hoe de opbrengsten worden verdeeld. Deze politiek levert Nederland veel geld op. In feite drijft de economie dan weer op de inkomsten uit Indië.
In 1870 maakt de liberale regering een einde aan dit lucratieve stelsel om vrije ondernemers de mogelijkheid te bieden zich in Indië te vestigen. De reis naar Indië is inmiddels comfortabeler (stoomschepen), korter (Suezkanaal) en daardoor goedkoper en voor meer mensen bereikbaar geworden.
De ogen van de Nederlandse regering en de ondernemers zijn gericht op de gebieden waar grondstoffen en mineralen in de bodem zitten en waar rubber, koffie, thee, tabak, suiker en specerijen te verbouwen zijn. Voor Nederland is Indië in dit opzicht verreweg het belangrijkste koloniale bezit.
Vanuit Batavia (het huidige Jakarta) op Java legt Nederland haar koloniale claims vast in de omringende gebieden. Er worden expedities opgezet naar de binnenlanden van Sumatra, Borneo en Celebes en naar de Buitengewesten, afgelegen gebieden en eilanden. Zo wordt de weg vrijgemaakt voor het vestigen van nieuwe bestuursposten om de bevolking onder Nederlandse controle te brengen.

Dutch East Indies

At the beginning of the 19th century, the Netherlands – as a colonial power – started to think about the future of their overseas possessions. The golden era of trade in slaves from Africa and products from the Indies was past. The colonies provided no economic advantages, indeed money had to be invested in order to keep the plantations running.
In 1830 the Cultuurstelsel, a system of forced agricultural labour was introduced on Java, the administrative and economic centre of the Dutch East Indies. As owner of the land the Dutch government would henceforth determine what and how much might be grown, and how the proceeds were to be divided. This policy produced considerable revenues for the Netherlands. In fact, income from the Indies kept the whole Dutch economy afloat.
In 1870 the Liberal government put an end to this lucrative system, in order to offer independent entrepreneurs the possibility to establish themselves in the Indies. By then steamships had made travel to the East Indies faster and the Suez Canal shortened the voyage, making it cheaper and more accessible for more people.
The attention of the Dutch government and the entrepreneurs was focused on those areas where raw materials and minerals were to be found in the ground, and where rubber, coffee, tea, sugar and spices could be cultivated. In this respect, the East Indies were by far the most important Dutch colony.
From Batavia - today Jakarta - on Java, the Netherlands extended its colonial claim to the surrounding territories. Expeditions were organised to the interior of Sumatra,

School op Nias, bij Sumatra, ca. 1910 (fotograaf onbekend)

School on Nias, near Sumatra, ca. 1910 (photographer unknown)

72
36
27
32
72:4=18
2×2×2×9
95:72=1 23/72
jklmno
10

K.Feilberg: Batakse oorlogskano bij het Tobah Meer. Sumatra, 1870 *K. Feilberg: Batak war canoe near Lake Toba. Sumatra, 1870*

In 1872 draagt Nederland haar bezittingen in Afrika over aan Engeland en op haar beurt trekt Engeland zich terug uit Noord-Sumatra. Dat biedt Nederland de mogelijkheid om haar conflict over de havenrechten van Atjeh uit te vechten. Het conflict mondt uit in een koloniale oorlog, die tot 1903 zal duren, als de onderwerping van de sultan en de Atjeese bevolking een feit is. Fotografie speelt in deze fase een belangrijke rol. In eerste instantie om het landschap en de dorpen van een veilige afstand vast te leggen en vervolgens – nadat de eerste contacten zijn gelegd – ook foto's te maken van de inheemse bevolking. De camera's zijn groot en zwaar en de glasplaten moeten tot in de jaren 1880 voor de opname in een donkere ruimte behandeld worden met lichtgevoelig materiaal. Op belangrijke tochten gaan er professionele fotografen mee die hun studio's gevestigd hebben in de grotere steden in de omgeving. De eerst in Deli (Sumatra) en later in Singapore gevestigde, Deense fotograaf Kristin Feilberg maakt in 1870 een tocht onder leiding van C. de Haan naar de Bataklanden van Sumatra. Hij keert terug met 45 gelukte 'photogrammen'.
Fotograaf Jean Demmeni vergezelt A.W. Nieuwenhuis in 1896 en 1899 op de Commissiereizen naar Borneo. Hij komt terug met al meer dan 200 opnamen. Rond 1890 kunnen de lange belichtingstijden teruggebracht worden tot een deel van een seconde en het lichtgevoelige materiaal hoeft niet meer ter plekke verwerkt te worden. Kodak brengt in 1888 een handcamera op de

Borneo and the Celebes and to the Outlying Territories, the more distant regions and islands. This opened the way for establishing new administrative posts to bring the population under Dutch control.
In 1872 the Dutch ceded their possessions in Africa to England, and in return England withdrew from northern Sumatra. The British departure gave the Dutch a free hand to fight out the conflict over harbour rights in the port of Aceh. That struggle turned into a full-fledged colonial war which would last until 1903 when the subjugation of the Sultan and the Achinese people was finally accomplished. In this phase, photography played an important role. In the first place, it was used to record the landscape and the villages from a safe distance, and then, after the first contacts had been made, it was also used to produce photographs of the indigenous peoples. The cameras were large and heavy, and until into the 1880s the glass plates had to be coated with a light-sensitive solution in a darkroom just before the shot. Professional photographers who had established their studios in large cities in the area went along on the more important expeditions. In 1870 the Danish photographer Kristin Feilberg, first located in Deli (Sumatra) and later in Singapore accompanied an expedition under the leadership of C. de Haan to the Batak country of Sumatra.
He returned with 45 successful 'photogrammes.' Photographer Jean Demmeni accompanied

K.Feilberg: Batak strijders. Sumatra, 1870 *K. Feilberg: Batak warriors. Sumatra, 1870*

A.W. Nieuwenhuis in 1896 and 1899 on the Commission Expeditions to Borneo. He returned with more than 200 shots. Around 1890 the long exposure times were reduced to a fraction of a second and photosensitive coating no longer had to be applied on the spot. In 1888 Kodak brought a hand camera onto the market, which eliminated the need for a tripod. That does not say, however, that photographers immediately changed over to this easier to use apparatus. During the campaign in Aceh in 1901 the photographer C. Nieuwenhuis had to be assisted by two bearers for transporting and setting up his equipment. For amateurs, however, photography became easier and more accessible. As a result, after 1900, there were almost no professional photographers taken along on expeditions and military campaigns, with members of the expedition themselves taking the photographs.

Around 1910 the Indonesian archipelago was fully under Dutch control. The Dutch East Indies became one governmental unit with a central administration. A national consciousness began to grow among Indonesians. After the Japanese occupation during the Second World War, the struggle for independence against the Dutch broke out. A colonial war put an end to Dutch domination, and in 1949 the Republic of Indonesia was proclaimed. Western New Guinea was not included in the transfer of sovereignty and remained under Dutch administration.

markt waardoor ook het statief niet meer nodig is. Dat wil overigens niet zeggen dat fotografen meteen overstappen op deze handzamere apparatuur. Fotograaf C. Nieuwenhuis moet tijdens de veldtocht naar Atjeh in 1901 nog bijgestaan worden door twee dragers voor het installeren en transporteren van zijn apparatuur.

Maar voor de amateurs wordt fotograferen makkelijker en toegankelijker. Na 1900 worden er dan ook vrijwel geen professionele fotografen meer meegevraagd op expedities en veldtochten en hanteren de expeditieleden zelf de camera's.

Rond 1910 is de Indonesische archipel onder Nederlands gezag gesteld. Dan is Nederlands-Indië een staatkundige eenheid met een centraal bestuur. Het nationaal bewustzijn van de Indonesiërs groeit. Na de Japanse bezetting tijdens de Tweede Wereldoorlog begint de onafhankelijkheidsstrijd tegen Nederland. Een koloniale oorlog maakt een einde aan de Nederlandse overheersing en in 1949 wordt de Republiek Indonesië uitgeroepen. Westelijk Nieuw-Guinea valt niet onder de soevereiniteitsoverdracht en blijft onder Nederlands bestuur.

C. Nieuwenhuis

(De expeditie naar Samalanga. Dagverhaal van een fotograaf te velde.)[2]

In januari 1901 gaat beroepsfotograaf C. Nieuwenhuis mee op de veldtocht naar Samalanga (Atjeh) onder leiding van generaal Van Heutsz. Kort na terugkomst publiceert hij zijn foto's en belevenissen. In een wonderlijke mengeling van ironie en gezwollen taal doet hij verslag van de oorlogvoering in Atjeh. Als de strijd rond de Glé Nag Roë op zijn hoogtepunt is, hebben zijn dragers zichzelf met zijn apparatuur in veiligheid gebracht en kan Nieuwenhuis niet fotograferen. Op de verovering van Batéë-Iliё op 2 en 3 februari is hij beter voorbereid en deze wordt wel door hem vastgelegd.

'Daar voor zoover mij bekend, het hier in Indië nog nimmer aan een vakfotograaf vergund is geweest dergelijke uitstapjes mede te maken, meen ik belangstellenden geen ondienst te doen met eenige door mij genomen kiekjes van Atjeh en het oorlogsterrein, en evenmin door een en ander mede te deelen van hetgeen mij persoonlijk daar wedervoer.'

In January 1901, the professional photographer C. Nieuwenhuis joined the military campaign near Samalanga, Aceh, led by General Van Heutsz. Shortly after his return he published his photographs and an account of his experiences. In a curious mixture of irony and bombast, he reports on the course of the war in Aceh. Although the battle around Glé Nag Roë is the climax, his bearers had taken cover along with his equipment and Nieuwenhuis could not take any pictures. At the capture of Batéë-Iliё on February 2 and 3 he was better prepared, and does indeed record this event.

'To the best of my knowledge, never before in the history of the East Indies has a professional photographer been permitted to join such martial excursions as I have been part of. Therefore, I do not intend to do any disservice to any interested party with any of the shots I have taken of Aceh and the scenes of battle, and just as little do I intend to do so by my reports on various and sundry matters of what I personally encountered there.'

C. Nieuwenhuis: Artillerie vurend op Baté Ilië, Atjeh 2 februari 1901

Artillery firing on Baté-Ilië, Aceh, February 2, 1901

'Wie als niet-militair en vreedzaam burger de verschrikkingen van zoo'n gevecht van nabij gezien heeft, zal dat wel nooit vergeten. Toen onze troepen vóór de bestorming om Batéë Ilië lagen, was het geweervuur der Atjehers, zoowel van Batée Ilië als van Asam Koebang, oorverdovend; de benting [verdedigings werk van inlanders] was overdekt en omgeven met een zwaren kruitdamp. Toen, de stormloop; het woeste hoera der bestormers, één of hoogstens tweemaal, gevolgd door een aanhoudenden en doordringenden strijdkreet der Atjehers, Allah il Allah, door hun fanatisme opgezweept tot ontembare razernij. Geen hoop op overwinning bezielde hen meer, bij hen was geen gedachte aan een eerlijken soldatendood voor vrijheid en vaderland, – ze hadden zich ten doode gewijd, om snevende in den strijd tegen den gehaten ongeloovige, zich den weg geopend te zien tot hun paradijs.'

C.Nieuwenhuis

'Na deze dappere verdediging en even dappere bestorming was geen man van de verdedigers meer over; ten getale van 71 lagen allen op den door hun toevertrouwde post dood uitgestrekt.'

'Who as a non-soldier and peaceable citizen has seen the terrors of such a battle from close by, will never forget the experience. When our troops lay round about Batéë-Ilië before the assault the rifle fire of the Achinese, both from Batéë-Ilië and Asam Koebang, was deafening; the benting [native fortifications] was covered and encompassed by clouds of powder smoke. Then the attack, the wild huzzahs of the attackers, one or at the most two times, followed by the incessant and penetrating battle cry of the Achinese, Allah il Allah, whipped up by their fanaticism to an ungovernable frenzy. No hope of victory inspired them any longer, among them was there no thought of an honourable soldier's death for liberty and Fatherland - they had devoted themselves to death, to perish in that strife against the hated infidel which opens for them the way to their paradise.'

'After this valiant defence and equally courageous attack, not a single defender was left alive; 71 in number, all lay stretched out dead at the posts entrusted them.'

C. Nieuwenhuis: Inname van Baté Ilië, Atjeh, 3 februari 1901

Capture of Baté-Ilië, Atjeh, February 3, 1901

Nederlands Nieuw-Guinea

Het Nederlandse, westelijk deel van Nieuw-Guinea is aan het begin van de 20ste eeuw nog grotendeels onbekend terrein. Vanuit de kust wordt begonnen met de exploratie van dit – na Groenland – grootste eiland ter wereld. Het vestigen van Nederlandse bestuursposten in Nieuw-Guinea verloopt langzamer en vreedzamer dan in Indië. Voor Nederlandse ambtenaren is een post in de Buitengewesten niet de aangewezen manier om carrière in de koloniën te maken. Nieuw-Guinea is het minst populair. Het binnenland is onherbergzaam, het klimaat moordend en de honderden verschillende stammen zijn onbekend, wie weet agressief, en over interessante bodemschatten is niet veel bekend.
De eerste bestuursambtenaren die zich hier wagen zijn dan ook van een bijzonder soort: in afgelegen posten – soms niet meer dan een barak met golfplaten dak – groeit hun betrokkenheid bij het leven en lot van de Papoea's. Bij deze exploratie maakt men overigens dankbaar gebruik van de kennis en de contacten van missionarissen en zendelingen die zich hier vaak al eerder hebben gevestigd.

Dutch New Guinea

At the beginning of the 20th century, the western, Dutch part of New Guinea was still largely unexplored terrain. The exploration of this, the second largest island in the world (after Greenland) began from the coast.
The establishment of Dutch administrative posts in New Guinea moved more slowly but more peacefully than in Indonesia. For Dutch civil servants, a posting in the Outlying Territories was not the best career move in the Colonial Office, and New Guinea was the least favoured spot. The interior is inhospitable, the climate deadly, the hundreds of different tribes were unknown, perhaps hostile and not much was known about mineral resources of interest.
The first administrators who ventured in and were therefore of an unusual kind: in isolated posts - sometimes no more than a shed of corrugated iron - their involvement with the lives and fate of the Papuans grew.
Grateful use was made of the knowledge and contacts Catholic and Protestant missionaries had built up, as they were often the first to enter areas.

'Dr. Vic de Bruyn – alias Jungle Pimpernel – te midden van 'zijn' Papoea's aan de Wisselmeren', Nieuw-Guinea, ca. 1948. Foto Marine Voorlichtingsdienst

'Dr. Vic de Bruyn - alias Jungle Pimpernel - in the midst of 'his' Papuans on the Wissel Lakes'. New Guinea, circa 1948. Photograph: Marine Information Service

Boogschutters van de stam der Marind-anim. Zuidwest Nieuw-Guinea, ca. 1900. (Collectie W. de Jong)
Archers from the Marind-anim tribe. Southwest New Guinea, circa 1900 (W. de Jong Collection)

After 1906 large-scale expeditions were organised into the interior. Initially people tried to go as far inland as they could via the rivers, but after 1926 use was made of aeroplanes for the complicated logistics of supplying the expeditions. The interior was explored, first contacts were made with various Papuan tribes and resources were investigated.
In addition to soldiers and many bearers - Dayaks from Borneo were very popular for this purpose - geologists, biologists and anthropologists were among the expedition members. Generally two or three of them doubled as photographers.
Expedition members felt it was very important to climb the highest snow-covered peaks in the central mountain ranges. Men were prepared to face brutal treks and death in order to plant the Dutch flag on a snowy mountain top, to show the world that it was Dutch territory. The last large-scale, exclusively Dutch expedition was in 1959. This expedition to the Star Mountains drew much Dutch and international attention in newspapers and on television when it literally reached its mediagenic high point on Juliana Top (now Puncak Mandala).
The final expedition took place in 1961. Vic de Bruyn, an administrator in New Guinea, was able to interest America's Harvard University in setting up an expedition, partly financed by the Netherlands, to the Baliem Valley, where the Dani lived. This mission was not without political ulterior motives. New Guinea was still a Dutch colony but the subject of conflict with the by then independent Indonesia, which claimed this western part of the island. The Netherlands did not wish to relinquish this last colony in the East to Indonesia. The argument was that Papuan culture was so far removed from Indonesian culture that incorporation into Indonesia could only turn out badly for the Papuans. In the international arena the Dutch argued for independence over the longer term, and saw itself as the nation that could help the Papuans toward that goal. The idea was that an American research expedition into the culture of the Dani would lend weight to this argument. The investigation of Dani culture was under the leadership of the American anthropologist and film-maker Robert Gardner, and among the expedition's results was Gardner's famous anthropological film Dead Birds*, on the significance of warfare for the Dani.*
Under international pressure - chiefly from the United States - western New Guinea was nevertheless placed under the administration of the United Nations, and subsequently, in 1969, much against the wishes of many Papuans and Dutch became a province of Indonesia under the name Irian Jaya.

Vanaf 1906 worden er grote expedities op touw gezet naar de binnenlanden. Aanvankelijk probeert men via de rivieren zo ver mogelijk landinwaarts te gaan, maar vanaf 1926 wordt gebruik gemaakt van vliegtuigen voor de logistiek zo gecompliceerde bevoorrading van de expedities. Het binnenland wordt verkend, er worden eerste contacten gelegd met verschillende Papoeastammen en de bodem wordt onderzocht.
Onder de expeditieleden bevinden zich naast militairen en vele dragers – de Dajaks uit Borneo zijn heel populair voor dit doel – onder andere geologen, biologen en antropologen. Meestal nemen twee of drie van hen de fotografie voor hun rekening. Expeditieleden stellen er groot belang in om de hoogste sneeuwtoppen van het centrale bergland te beklimmen. Men heeft er barre tochten en doden voor over om een Nederlandse vlag te kunnen planten op een besneeuwde top en zo de wereld te laten zien dat dit Nederlands grondgebied is. De laatste grote exclusief Nederlandse expeditie vindt plaats in 1959. Deze expeditie naar het Sterrengebergte krijgt nationaal en internationaal veel aandacht in kranten en op televisie met het bereiken van de Julianatop als mediageniek hoogtepunt.
De allerlaatste expeditie vindt plaats in 1961. Vic de Bruyn, bestuursambtenaar in Nieuw-Guinea, weet de Amerikaanse Harvard University te interesseren voor het opzetten van een mede door Nederland gefinancierde expeditie naar de Baliemvallei waar de Dani wonen. Zijn missie is niet zonder politieke bijbedoelingen. Nieuw-Guinea is dan nog een Nederlandse kolonie, maar verkeert in conflict met het inmiddels onafhankelijke Indonesië die dit westelijk deel van het eiland claimt. Nederland wil deze laatste kolonie in de Oost niet prijsgeven aan Indonesië. Het argument is dat de Papoeacultuur zo ver af staat van de Indonesische dat een inlijving bij Indonesië alleen maar slecht voor de Papoea's kan uitpakken. Nederland pleit in internationaal verband voor onafhankelijkheid op termijn en ziet zichzelf als het land dat de Papoea's hierin op weg kan helpen. Een Amerikaans onderzoek naar de cultuur van de Dani zal dit argument kracht bijzetten, zo is de gedachte. Onder leiding van de Amerikaanse antropoloog en filmer Robert Gardner wordt de cultuur van de Dani onderzocht. De expeditie resulteert onder meer in de beroemde antropologische film van Gardner *Dead Birds*, over de betekenis van oorlogvoering voor de Dani.
Onder internationale druk – vooral van de Verenigde Staten – wordt westelijk Nieuw-Guinea desondanks in 1962 onder toezicht van de Verenigde Naties gesteld om vervolgens in 1969 tegen de zin van vele Papoea's en Nederlanders in, een provincie van Indonesië te worden met de naam Irian Jaya.

Vrouw van de stam der Marind-anim. Kunstmatige haartooi. Zuidwest Nieuw-Guinea, ca. 1900 (Collectie W. de Jong)

Woman from the Marind-anim tribe. Artificial headdress. Southwest New Guinea, ca. 1900 (W. de Jong Collection)

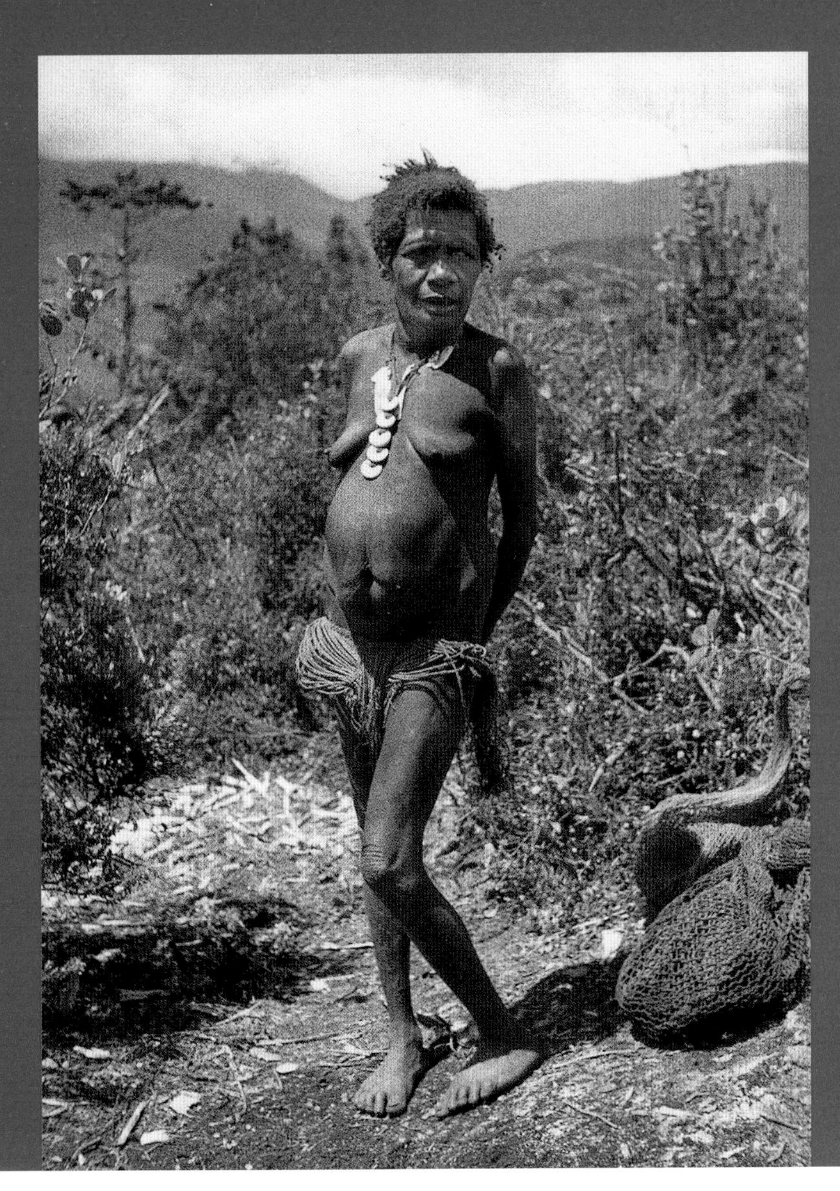

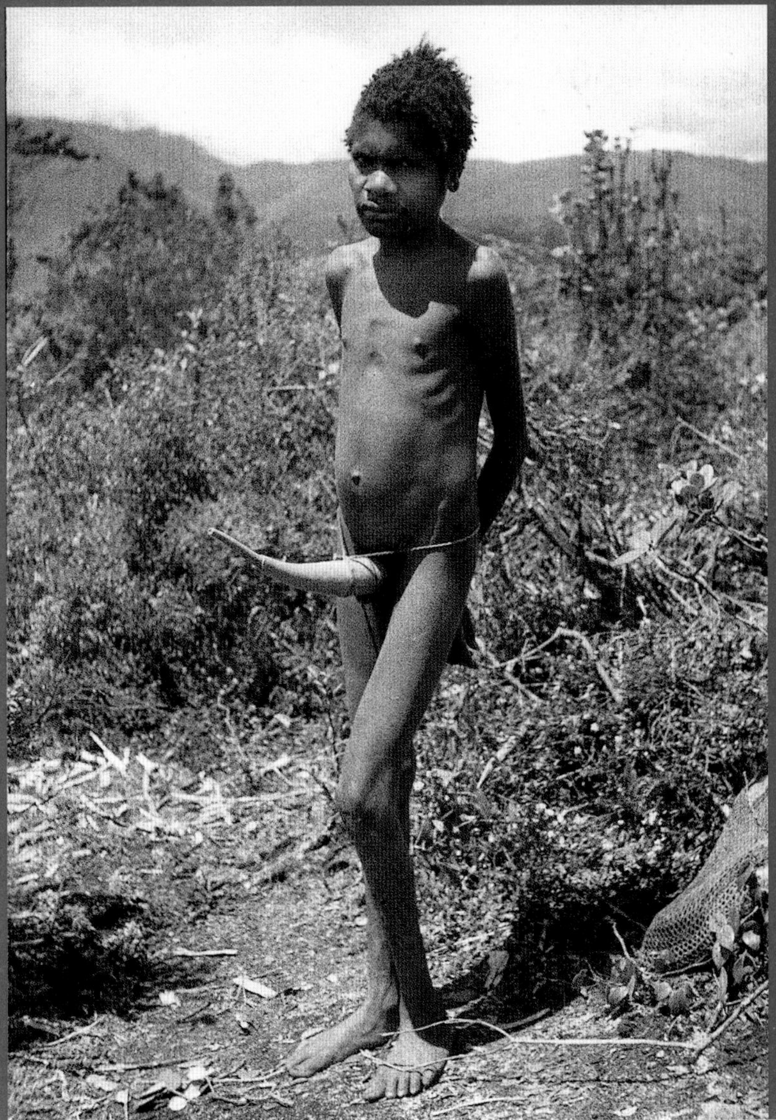

Foto's: M.J.H. Hagdorn, luitenant ter zee 2de klasse, deelnemer aan de expeditie naar het centrale bergland van Nieuw-Guinea onder leiding van C. Le Roux in 1939

Photographs: Lieutenant Commander M.J.H. Hagdorn, participant in the expedition to the central mountains of New Guinea leaded by C. Le Roux in 1939

Suriname en de Nederlandse Antillen

In Suriname en de zes Nederlandse Antillen viel voor Nederland niet zoveel economisch voordeel te halen als in Indië. In het gebrek aan arbeidskrachten op verafgelegen plantages in Suriname na de afschaffing van de slavernij in 1863 wordt voorzien door uit Brits-Indië en Java arbeidskrachten te ronselen. De arbeiders uit India tekenen een contract dat hun na 5 jaar de mogelijkheid biedt om weer naar hun moederland terug te keren. In de praktijk blijkt dit niet zo eenvoudig. Slechts een derde deel van deze migranten keert terug. Ook het grootste deel van de Javaanse moslims blijft in Suriname.
Zo verandert Suriname rond de eeuwwisseling van een land dat aan de kust voornamelijk bewoond wordt door slaven uit Afrika in een samenleving bestaande uit zeer uiteenlopende culturen, religies en rassen, waarvan – naast immigranten uit China en Europa – de creolen, de Hindoestanen en Javanen de grootste groepen zijn. In het binnenland wonen behalve de oorspronkelijke bewoners – de indianen – ook een grote groep gevluchte negerslaven, Marrons genaamd.
Het binnenland van Suriname is aan het begin van de 20ste eeuw voor de Nederlanders nog onbekend gebied. De eerste expedities vinden plaats vanaf 1901 waarvan de Tapanahoni-expeditie in 1904 een van de belangrijkste is geweest.

De zes Nederlandse eilanden in de Caribische zee blijven intussen grotendeels uit het zicht van Nederland. Door langdurige droogte is het werk op de plantages op Curaçao vrijwel stilgevallen. In 1915 verandert deze economische malaise met de komst van de Shell-raffinaderij. De infrastructuur verbetert en er breekt een periode aan van relatieve welvaart en economische bloei. Op Aruba, het buureiland waar nauwelijks plantages zijn en dat dus ook vrijwel geen creoolse bevolking heeft, brengt de vestiging van een raffinaderij in 1926 ook een relatieve welvaart. Dankzij een stroom nieuwkomers afkomstig uit Zuid-Amerika, Azië en Europa ontstaat dan ook in Aruba een zeer gemengde, voornamelijk geïmmigreerde bevolking.
Suriname wordt in 1975 een onafhankelijke republiek. De Nederlandse Antillen blijven tot op heden bij Nederland.

Surinam and the Dutch Antilles

Surinam and the six Dutch Antilles did not afford as many economic advantages to the Netherlands as did the Dutch East Indies. The shortage of labourers for the isolated plantations in Surinam after the abolition of slavery in 1863 was remedied by recruiting labour from British India and Java. Labourers from India signed a contract that offered them the possibility of returning to their homeland after five years. In practice, this was not so easy. Only a third of the migrants went back.
The great majority of the Javanese Muslims also remained in Surinam. Thus by the turn of the century Surinam had become a land with a population primarily along the coast, comprised largely of former slaves from Africa, in a society composed of very diverse cultures, religions and races, among whom - in addition to immigrants from China and Europe - the Creoles, Hindustanis and Javanese were the largest groups.
In the interior, in addition to the original Indian inhabitants, there was also a large group of escaped slaves, the Maroons.

At of the turn of the 20th century the interior of Surinam was still unknown territory for the Dutch. The first expeditions took place after 1901, of which the Tapanahoni expedition of 1904 was one of the most important.

The six Dutch islands in the Caribbean in the meantime were largely ignored by the Netherlands. A lengthy drought had brought work on the plantations on Curaçao almost to a halt. In 1915 this economic malaise was turned around by the arrival of a Shell refinery. The infrastructure improved and a period of economic bloom and relative prosperity dawned. On the neighbouring island of Aruba, there had been very few plantations, and hence only a small Creole population. The establishment of a refinery in 1926 brought relative prosperity. Thanks to the stream of newcomers from South America, Asia and Europe, Aruba also acquired a very mixed, primarily immigrant population. Surinam became an independent republic in 1975. Though largely self-governing, the Dutch Antilles remain a part of the the Netherlands to this day.

Waaigat. Curaçao, Nederlandse Antillen, 17 december 1904 *Waaigat. Curaçao, Dutch Antilles, December 17, 1904*

Foto's pag. 31, 32/33 gemaakt door G.M. Versteeg na afloop van de Tapanahoni expeditie naar Zuid Suriname in 1904.
Photographs page 31, 32/33 made by G.M. Versteeg after the completion of the Tapanahoni expedition to southern Surinam in 1904.

Malebatrumstraat, gezien vanuit
het hotel van mevrouw Smith.
Paramaribo, Suriname, 23 nov. 1904
*Malebatrum Street, seen from
the hotel of Mrs. Smith,
Paramaribo, Surinam, Nov. 23, 1904.*

Vic de Bruyn

(Het Verdwenen Volk)[1]

'Augustus 1950. Na al die jaren terug in Nederland, waar in het stadsbeeld de open wonden van de oorlog nog zichtbaar zijn. Het land is niet alleen zichtbaar veranderd, maar door een wereld- en een koloniale oorlog ook qua mentaliteit. Alles wat koloniaal is, is fout. Het beeld van het kolonialisme wordt consequent als volkomen zwart afgeschilderd. Er wordt op lichtvaardige wijze gesuggereerd en geïnsinueerd dat de toestanden in een koloniale wereld per definitie verkeerd zijn, zonder dat men beseft dat kolonialisme een goed en zinvol fundament kan hebben.'

'August 1950. Back in the Netherlands after so many years. The open wounds of the war are still visible in the cityscape. Not only has the country changed visibly, but the world war and colonial war has also brought about a change in mentality. Everything to do with colonialism is wrong. Consequently the image of colonialism is painted as entirely black. There is the unthinking suggestion and insinuation that the situation in a colonial world is by definition wrong, without the realisation that colonialism can have a good and worthwhile foundation.'

Legitimation

Up until into the 19th century it was primarily their own conscience that Dutch government officials, colonialists and merchants had to placate if they were involved in the slave trade, subjugating indigenous peoples or killing rebels. But with the rapid development of printed media an increasingly large part of the population became informed about what happened in the colonies.
Criticism of the course of the war in the Dutch East Indies increased, primarily because of the fact that this demanded considerable expenditures from the national treasury. It was not so much colonialism itself that was open to question, but particularly moral objections to the way in which the population of Indonesia was exploited for the benefit of the home economy became louder.
The government had to legitimise its colonial policy; the conscience of the Bible-steeped, Calvinistic Netherlands must be salved. The arguments had been there for the picking for some time, but they had to be made politically usable.

Evolutionism

In the middle of the 19th century ethnology was a somewhat vague discipline into which many sub-disciplines were packed: biologists, zoologists, palaeontologists, archaeologists, geographers, historians, linguists and ethnographers all made contributions to the study of the development of mankind. In 1859 Darwin published his Origin of Species. *For orthodox Christians this was an assault on the creation narrative, but the theory had profound influence of all of these scientific disciplines as well.*
According to Darwin the biologist, nature was constantly evolving as species adapted to changing conditions. In analogy to his vision of the mutations in nature, ethnology developed an evolutionary variant of its own to explain the changes in cultures. In fact, people were seeking a scientific justification for established ideas, which were far from new, about the hierarchic differences between cultures. Cultures, it was thought, developed from simple (primitive) to increasingly complex (civilised). The dominance of the industrial revolution in every sector of European life assured that this development process would be seen as one of increasing technological complexity. Technology is visible, demonstrable, and therefore convincing as evidence. Who could deny that a Gatling gun was more complex and more effective than a war club?
Ideas were developed within this cultural evolutionism regarding patterns in this cultural development. Each culture was supposed to pass through certain stages. These stages were universal and could also be compared with the development from childhood to adulthood. Thus ethnology arrived at a ladder of levels of civilisation for peoples and cultures. The less technological development, the more childlike, natural or primitive a culture was.
By introducing these concepts into the political debate, colonial policy was legitimised. Was it anything less than our duty to help less developed cultures in the colonies to progress on the road to civilisation by acquainting them with our highly developed technology?

Legitimatie

Tot in de 19de eeuw moeten de Nederlandse bewindslieden, kolonialen en handelaren vooral hun eigen geweten sussen tijdens het handelen in slaven, het onderwerpen van volken en het vermoorden van opstandelingen. Maar door de snelle ontwikkeling van de gedrukte media raakt een steeds groter wordende bevolkingsgroep geïnformeerd over de koloniale activiteiten.
De kritiek op de oorlogvoering in Indië neemt toe, vooral ook door het feit dat deze een grote aanslag op de staatskas betekent. Niet zozeer het kolonialisme zelf staat ter discussie, maar vooral de morele bezwaren tegen de wijze waarop de bevolking in Indië uitgebuit wordt ten gunste van de eigen economie worden sterker.
De overheid moet het koloniale beleid legitimeren; het geweten van bijbelvast, calvinistisch Nederland moet gesust worden. De argumenten liggen al lang voor het oprapen, maar moeten nog politiek hanteerbaar gemaakt worden.

Evolutionisme

Volkenkunde is rond het midden van de 19de eeuw een wat vage wetenschap waarbinnen zich vele disciplines bewegen: aan de studie naar de ontwikkeling van de mens wordt bijgedragen door biologen, zoölogen, paleontologen, archeologen, geografen, historici, taalkundigen en etnografen.
In 1859 publiceert Darwin zijn *Origin of Species*. Voor orthodoxe christenen is dit een aanval op het scheppingsverhaal, maar de theorie beïnvloedt alle bovengenoemde takken van wetenschap diepgaand. Volgens de bioloog Darwin evolueert de natuur constant doordat soorten zich aanpassen aan veranderende omstandigheden.
Naar analogie van zijn visie op de mutaties in de natuur, ontwikkelt de volkenkunde een eigen evolutionistische variant over veranderingen van culturen. In feite zoekt men naar een wetenschappelijke verklaring voor al veel langer bestaande ideeën over hiërarchische verschillen tussen culturen. Culturen zouden zich ontwikkelen van eenvoudig (primitief) naar steeds complexer (beschaafder). Door het overheersende belang van de industriële revolutie wordt deze ontwikkeling vooral gezien als een toenemende technologische complexiteit. Technologie is zichtbaar, aantoonbaar en daardoor overtuigend als bewijs. Wie kon ontkennen dat het machinegeweer complexer en effectiever was dan de knuppel?
Binnen dit cultuurevolutionisme worden ideeën ontwikkeld over wetmatigheden in die culturele ontwikkeling. Iedere cultuur zou bepaalde stadia moeten doorlopen. Deze stadia zijn universeel en worden ook wel vergeleken met de ontwikkeling van kind naar volwassene. Zo komt men tot indelingen van beschavingsniveaus voor volken en culturen. Hoe minder technologische ontwikkeling, des te kinderlijker, natuurlijker of primitiever de cultuur.
Door dit gedachtegoed in het politieke debat te introduceren wordt het koloniale beleid gelegitimeerd: was het niet minder dan onze plicht om de lager ontwikkelde culturen in de koloniën vooruit te helpen op weg naar de beschaving door hen kennis te laten maken met onze hoog ontwikkelde technologie?

Antropometrie

Culturele ontwikkeling wordt door sommigen gekoppeld aan raskenmerken. Voor het vastleggen van raskenmerken ontwikkelt men een speciaal soort fotografie, de antropometrische. Deze foto's worden volgens bepaalde richtlijnen gemaakt: het zijn (studio-)opnamen van mensen, staand of zittend voor een neutrale achtergrond, en dan liefst van verschillende kanten – en face, en profil, en dos (van achteren) – naast een meetlat gefotografeerd.
Van dezelfde persoon worden ter plekke diverse lichaamsmaten genomen, zoals de schedelomvang en de lengte van armen en benen ten opzichte van de romp.
Deze fotografie is weliswaar lang niet representatief voor alle volkenkundige fotografie uit deze periode – ze hoort bij een specifiek onderzoeksgebied, de fysische antropologie – maar ze kan wel gezien worden als het visuele symbool voor zelfingenomen, westers denken over de eigen beschaving in relatie tot die van anderen. De antropometrische foto vat dit superioriteitsdenken in een fractie van een seconde samen. De foto's in dit boek gemaakt door politieman Paul Foelsche in 1879 spreken boekdelen. Wezenloos zitten de Aborigines op een stoel naast een meetlat. Als studieobjecten zijn ze voorzien van nummers en maten en als zodanig bedoeld voor verdere bestudering.
Deze specifieke vorm van antropologische fotografie veroorzaakt en bevestigt een negatief, vertekend beeld van mensen behorend tot andere culturen.
Ze zijn gemaakt voor de wetenschap, maar krijgen een bredere verspreiding. Een groter publiek krijgt ze onder ogen via semi-wetenschappelijke publicaties die vanaf het begin van de 20ste eeuw in grote oplagen en vele edities verschijnen.
In navolging van deze wetenschappelijke fotografie ontstaat een stijl van fotograferen die wel de antropometrische stijl genoemd wordt. Dit zijn foto's waarbij de fotograaf niet precies volgens de vaste regels werkt, maar de geportretteerde een vergelijkbare rol toebedeelt in het beeld. De fotoserie die J.Baer in 1894 maakt van twee Kroenegers is hiervan een duidelijk voorbeeld. De neutrale achtergrond met meetlat heeft plaats gemaakt voor een geschilderde achtergrond waar de beide mannen eerst naakt en vervolgens aangekleed in een soort oeromgeving figureren. Hoogstwaarschijnlijk bevonden deze mannen zich in dat jaar in Antwerpen waar zij vanwege de Wereldtentoonstelling voor het publiek te bezichtigen waren. Baer maakte van de gelegenheid gebruik door de mannen naar zijn studio in Rotterdam te brengen om daar deze fotoserie te maken. Zo spaarde Baer een reis naar West-Afrika uit en kon hij een sensationele fotoserie aanbieden die zowel voor de particuliere markt als voor de museale (wetenschappelijke) markt geschikt was.

Anthropometry

Some coupled cultural development with racial characteristics. A special discipline in photography was developed for recording racial characteristics: anthropometric photography. These photographs were made according to established guidelines: they were studio photographs of people, standing or sitting in front of a neutral background, preferably photographed from various angles - frontally, in profile, and from the back - next to a graduated ruler. Various physical measurements were taken of the person who was photographed: the circumference of the skull, the length of the arms and legs in relation to the torso, etc.
It is true that this photography is not representative of all ethnological photography of this period - it belongs to a specific field of research, physical anthropology - but it can be seen as a visual symbol for self-centred, Western thinking about their own civilisation in relation to the cultures of others. The anthropometric photograph sums up that concept of superiority in a fraction of a second. The photographs in this book made by the policeman Paul Foelsche in 1879 speak volumes. Expressionless, the Aborigines sit in a chair next to a graduated ruler. As objects of study they have been given numbers and measurements and as such are intended for further investigation.
This specific form of anthropometric photography causes and validates a negative, distorted image of people belonging to other cultures. Such photographs were made for scientific purposes but received wider distribution. They reached a wide audience through semi-scientific publications, which from the beginning of the 20th century appeared in large and multiple editions.
Inspired by this scientific photography there arose a somewhat different style of photographing that also is termed anthropometric. In these photographs the photographer does not work according to rigid rules, but the subject of the image is allotted an equivalent role. The photo series that J. Baer made in 1894 of two Kru negroes is a textbook example of this. The neutral background and graduated ruler has made way for a painted backdrop against which the two men pose, first naked and then clothed in a sort of jungle setting.
It is most likely that these two men were in Antwerp that year, where they were on display to the public at the International Exhibition. Baer took advantage of the opportunity and brought the two men to his studio in Rotterdam to make his photo series there. This spared Baer the trip to West Africa, whilst offering a sensational photo series that was suitable for both private collectors and for the museal (academic) market.

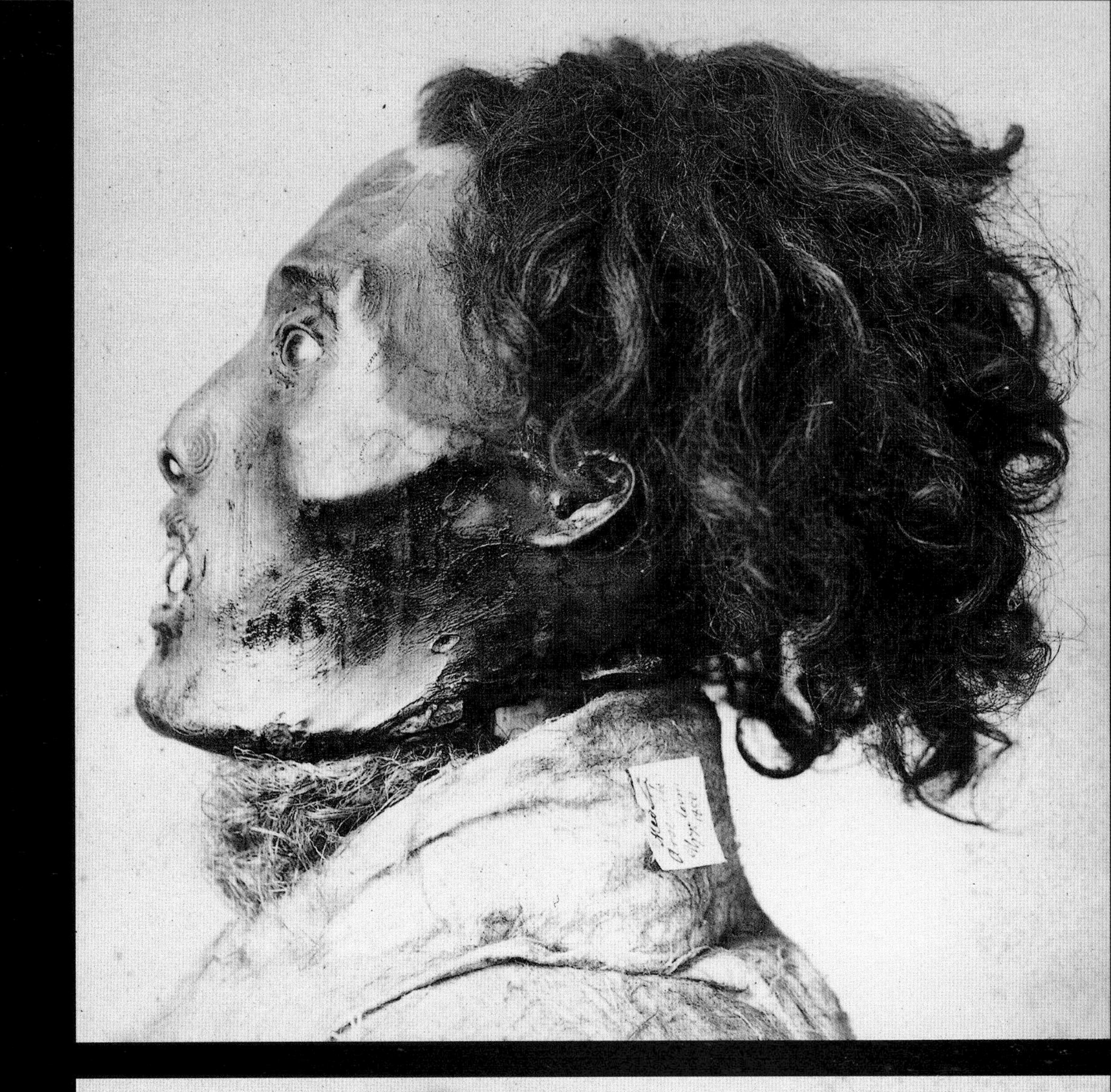

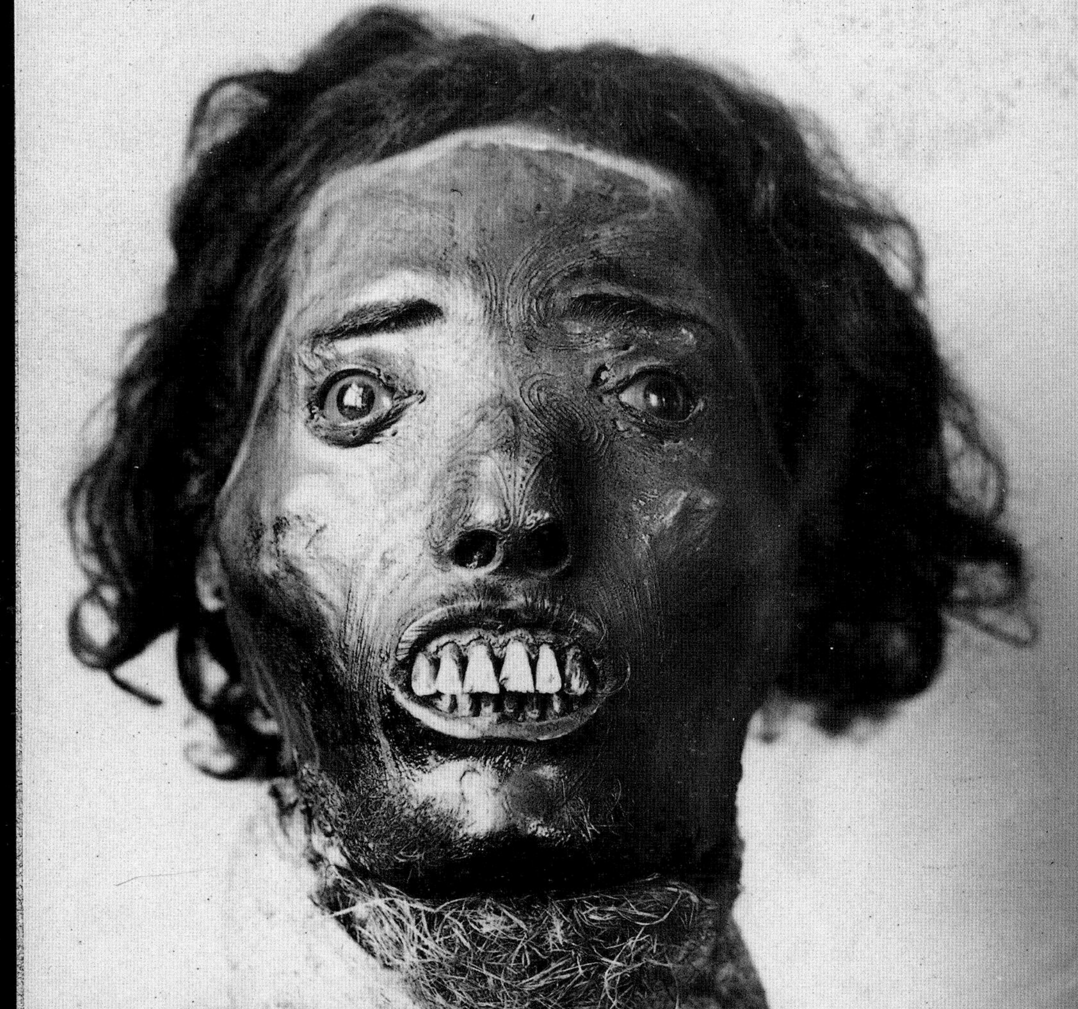

Maori-schedel en profil
Maori skull, profile

Maori-schedel en face
Maori skull, en face

Foto's genomen door Lindberg tijdens de Wereldtentoonstelling in Stockholm in 1882 waar deze schedel te bezichtigen was
Photographs taken by Lindberg during the International Exhibition in Stockholm, 1882, where this skull was on display

J.Baer: Kroenegers. Rotterdam, 1894

J. Baer: Kru negroes. Rotterdam, 1894

Studeerkamerantropologie

Volkenkunde wordt in de tweede helft van de 19de eeuw vooral vanuit de studeerkamer beoefend. Het reizen naar en in andere werelddelen is duur, gevaarlijk en oncomfortabel. Het betekent maandenlang onderweg zijn, blootgesteld worden aan vijandige inboorlingen, mysterieuze ziekten en eigenaardig voedsel. Bovendien vindt men het helemaal niet nodig om zelf op pad te gaan. Wetenschap is een deftige bezigheid die met gepaste afstand en met schone handen bedreven wordt en de studeerkamer is daarvoor heel geschikt.

Anderen mogen het materiaal verzamelen voor de wetenschap. Voorwerpen, foto's, schedels, skeletten en haren zijn welkom opdat de echte wetenschapper ermee aan de slag kan gaan. Het museum is de ideale plek om dat onderzoek te doen: daar worden voorwerpen uit alle delen van de wereld bij elkaar gebracht en het vergelijken van die voorwerpen is ook alleen daar mogelijk.

Niet alleen raskenmerken, ook voorwerpen en architectuur worden geclassificeerd door ze een plek te geven op de beschavingsladder. Boomhutten wijzen op een lager beschavingsniveau dan huizen op de grond, zeilboten zijn beschaafder dan kano's en het houden van andere huisdieren dan honden kenmerkt eveneens een hogere vorm van cultuur. Het fototoestel wordt overigens als een hoogtepunt van ontwikkelingsniveau gezien. Wie deze techniek vergelijkt met het moeizame gekras op rotswanden door holbewoners, moet toch erkennen dat er ook op dit gebied culturele rangen en standen zijn.

Wanneer de echte voorwerpen niet voorhanden zijn, fungeren foto's van voorwerpen als studiemateriaal. Uit deze tijd dateren de mooi gecomponeerde foto's van verzamelingen. Op verzoek van musea en andere onderzoeksinstellingen worden collecties van voorwerpen gefotografeerd die zich dikwijls ver weg in andere musea of bij particulieren bevinden. Zo kunnen de onderzoekers ook voor het bestuderen van collecties elders thuis blijven zitten.

In de Leidse collectie treffen we een flink aantal van deze foto's aan.

Studiofotografen maken ook zorgvuldige ensceneringen van inheemsen die de voorwerpen bij zich dragen, gebruiken of maken. De geschilderde decors, de kleding (of het ontbreken daarvan) en de attributen zijn op deze foto's meer dan alleen artistiek bedoeld. Ze geven ook aan in welk beschavingsstadium we de geportretteerde mogen plaatsen: wild, barbaars of beschaafd. Zo verwijzen de kleding, de speren en de pijl en bogen op de foto van Woodbury & Page uit 1875 (p. 41) expliciet naar het laag ingeschatte ontwikkelingsniveau van de Papoea's.

Andere leveranciers van materiaal voor studeerkamerantropologen zijn de Koloniale- of Wereldtentoonstellingen. Vanaf 1851 – de eerste Wereldtentoonstelling is dan in Londen – worden er ongeveer tweejaarlijks in diverse grote steden megatentoonstellingen georganiseerd die ieder miljoenen bezoekers trekken.

Naarmate de eeuw vordert wordt het gebruikelijker om niet alleen koloniale producten en voorwerpen ten toon te stellen, maar ook om complete dorpen te bouwen, bewoond door echte inboorlingen. Zo zijn er in 1883 tijdens de

Armchair anthropology

In the second half of the 19th century, ethnology was largely an armchair discipline. Travelling to and in other continents was expensive, dangerous and uncomfortable. It might take months to reach one's destination, where one was then exposed to hostile natives, mysterious illnesses and strange foods. Moreover, ethnologists found it totally unnecessary to go there themselves. Science was a dignified pursuit that was exercised from a proper distance and with clean hands and for that the scholar's armchair was most suitable.

Others might collect the raw materials for science. Objects, photographs, skulls, skeletons and hair were welcome so that the real scientist could study them. The museum was an ideal place for such research: here objects from all corners of the world were brought together, and only here was the comparison of these objects possible.

Not only racial characteristics but also objects and architecture were classified by allocating them a place on the ladder of civilisation. Tree houses indicated a lower level of civilisation than houses on the ground, sailboats were more civilised than canoes, and keeping house pets other than dogs likewise indicated a higher form of culture. For the rest, the camera was seen as the zenith of civilisation. Anyone comparing this instrument with the laborious scratches on rock faces made by cave dwellers would have to acknowledge that in this field too there were cultural orders and ranks.

If the actual objects could not be at hand, photographs of them would do as study material. Beautifully composed photographs of collections date from this period. At the request of museums and other research institutions collections of objects were photographed, which often were far away in another museum or in the hands of a private collector. Thus researchers could study collections somewhere else while sitting at home. We find a substantial number of these photographs in the collection at Leiden.

Studio photographers also made carefully staged pictures of natives carrying objects, using them, or making them. The painted backdrops, clothing (or absence of it) and attributes in these photographs are not for artistic effect alone. They also indicate what stage of civilisation the subjects had achieved: savage, barbarian or civilised. Thus the clothing, spears and bow and arrows in the 1875 Woodbury & Page photograph (p. 41) refer explicitly to the low estimate of the Papuans' level of development.

Another source of material for armchair anthropologists were the Colonial or World Exhibitions. After 1851, when the first Great Exhibition took place in London, about every two years mega-exhibitions were organised in various European cities, which each drew millions of visitors. As the century advanced it became more customary to not only show colonial products and objects, but to build complete villages, lived in by real natives. For instance, in 1883, during the International, Colonial and Export Trade Exhibition in Amsterdam, groups of 'natives' from the Dutch colonies were to be seen on the site of the present Museum Plein. Twenty-eight Surinamers sat together in a

Woodbury & Page:
'Papuans'. Batavia, 1875

Internationale, Koloniale en Uitvoerhandel- Tentoonstelling in Amsterdam op het huidige Museumplein groepen 'inboorlingen' uit de Nederlandse koloniën te zien: In een circustent zitten 28 Surinamers bij elkaar. Ze vertegenwoordigen drie bevolkingsgroepen van Suriname: indianen (Arowaken en Caraïben), marrons of bosnegers (gevluchte negerslaven die zich in het oerwoud hebben gevestigd) en een groep creolen van gemengde afkomst. Volgens de overleveringen zou er zich ook één Hindoestaanse vrouw in het gezelschap bevinden. Verderop zit een groep Indonesiërs. Ze spelen op een speciaal getoonzet Gamelanorkest, zodat er ook *Wien Neêrlands Bloed* op gespeeld kan worden als Koning Willem III hen een bezoek brengt. De Surinamers worden tot hun grote teleurstelling en tegen de afspraken in niet met een bezoek van de koning vereerd. Zij moeten het doen met Prins Roland Bonaparte, een achterneef van Napoleon en antropoloog. Hij laat van beide groepen een serie antropometrische foto's maken en schenkt deze in albumvorm aan verschillende volkenkundige musea in Europa, waaronder het museum in Leiden.

Popularisering van rassentheorieën

Aan het eind van de 19de eeuw is het evolutionisme binnen de antropologie op zijn retour. Maar de oude opvattingen vinden via de gedrukte media een weg naar het grote publiek.
Een aantal populair-wetenschappelijke publicaties wordt in grote oplagen en in vele landen in Europa verspreid. *Die Rassenschönheit des Weibes* van de medicus dr. C.H. Stratz is hiervan een sprekend voorbeeld. Het verschijnt in 1901 en beleeft tot in de oorlogsjaren (1941) twintig herdrukken in hoge oplages. In iedere nieuwe druk staan weer meer foto's van naakte, halfnaakte of in klederdracht uitgedoste vrouwen uit alle delen van de wereld. Stratz weegt hen allemaal wetenschappelijk op schoonheid om ze vervolgens te licht te bevinden voor zover ze niet voldoen aan de standaard voor blanke, vrouwelijke schoonheid. Een negerin kan in zijn beschrijvingen wel prachtige proporties hebben, maar valt helaas toch in een lagere categorie door haar kroeshaar of volle lippen. Door haar huidskleur is ze sowieso buiten mededinging in deze Miss Universe-verkiezing avant la lettre met dokter Stratz als enig jurylid. Dit boek behoort tot de geaccepteerde fotoporno – of noem het antro-porno – van het begin van de 20ste eeuw. Onder het mom van een wetenschappelijke studie kon vrijwel iedere (Duitse) man het in zijn kast hebben staan en zich verlustigen aan de foto's. Stratz is wat klagerig over het feit dat het niet altijd de fraaiste exemplaren zijn die zich laten fotograferen en hij fantaseert over hoe heerlijk het zou zijn als ieder ras zijn eigen mooiste vrouw naar voren zou schuiven ten behoeve van dit wetenschappelijke meten van schoonheid. Overigens ontkomen ook Europese vrouwen niet aan zijn metingen. In Nederland komen de Zeeuwse vrouwen en de Friezinnen er goed van af. Ondanks het feit dat de gastvrije Hollanders zich volgens Stratz in de loop der eeuwen hebben vermengd met Portugese joden, Franse vluchtelingen en hele bataljons Spaanse soldaten, en er al meer dan driehonderd jaar bloed van de verschillende rassen uit de koloniën naar Nederland stroomt, constateert hij dat in deze provincies de edele kenmerken van het noordelijke ras dominant blijken te zijn. Over de Duitse vrouwen, met name die in het zuiden, is Stratz minder positief: de vermenging met andere soor-

circus tent, representing the three population groups of Surinam: Indians (Arowaks and Caribs), Maroons or 'bosnegers' (escaped black slaves who had settled in the jungle), and a group of creoles of mixed descent. According to tradition, there was also one Hindustani woman in the company. Further along were a group of Indonesians on display. They formed a specially tuned gamelan orchestra, so that Wien Neêrlands Bloed *could also be played on it when King Willem III paid them a visit. To their great disappointment, and in violation of what they had been promised, the Surinamers were not honoured with a visit from the King. They had to make do with Prince Roland Bonaparte, the great nephew of Napoleon I and an anthropologist. He had a series of anthropometric photographs made of both groups, and presented these in album form to various ethnological museums around Europe, including the museum in Leiden.*

Popularising racial theories

Enthusiasm for evolutionism began to wane at the end of the 19th century. But the old views were finding their way to a large audience through the printed media. Large editions of a number of popular scientific publications were distributed in many European countries. Die Rassenschönheit des Weibes *by the German physician, Dr. C.H. Stratz, is a telling example. It first appeared in 1901 and ran through twenty large editions, the last appearing during the Second World War, in 1941. Each edition includes still more photographs of nude or semi-nude women, or women in native costumes, from all over the world. Stratz evaluates them all scientifically for their beauty, to eventually find that none can measure up against the standard of white, feminine beauty. A Negress may, in his view, be well proportioned, but alas still ends up in a lower category because of her kinky hair and full lips. Her skin colour alone would put her out of the running in this Miss Universe contest which had Dr. Stratz as sole judge and jury. This volume is accepted as an example of photographic pornography - or one might say anthro-pornography - from the first half of the 20th century. Under the mask of a scientific study, virtually every German-speaking man could have it in his bookcase and be entertained by the photographs. Stratz is somewhat querulous about the fact that it was not always the most beautiful examples who would let themselves be photographed, and he fantasises about how wonderful it would be if each race would put forward its own most beautiful woman for the sake of his scientific assessment of beauty. For the rest, European women too do not escape his strictures. In the Netherlands women from Zeeland and Friesland come off relatively well. Despite the fact that the hospitable Dutch have interbred with Portuguese Jews, French refugees and whole battalions of Spanish soldiers, and for more than three centuries the blood of different race has streamed into the Netherlands from its colonies, he notes that in these provinces the noble characteristics of the Northern race appear to remain dominant. With regard to German women, particularly from Southern Germany, Stratz is less positive: the mongrelisation with other sorts is too obvious to be able to speak of their being fine examples. Dr. Stratz was a familiar figure at the Rijks Ethnografisch Museum, as the*

'Verschillende typen van Surinaamsche Creolen'. Wereldtentoonstelling, Amsterdam 1883

'Various types of Surinam Creoles'. International Exhibition, Amsterdam, 1883

National Museum of Ethnology was then called. He came to The Hague to live, and borrowed photographs from the Museum collection to use in his books. In Die Rassenschönheit des Weibes *we find photographs of Congolese Negresses who were to be seen at the International Exhibition in Antwerp in 1894, a photograph of a girl from Fiji and photographs of nude Iranian women made by Antoine Sevruguin. In his next best-seller,* Naturgeschichte des Menschen, *from 1904, Stratz once again includes photographs from the Leiden collection: anthropometric photographs of the Dayak from Borneo by Jean Demmeni, four portrait photographs of Kaffers made by the German Trappist Mariannhill Order around 1894, several photographs of skulls that were in the holdings of the Museum and six of the eight anthropometric photographs by Foelsche mentioned above. Although Stratz had no qualms publishing photographs in which female genitals were clearly visible, he does not go so far as to show the male organs of these Aborigines. The original photographs have been cropped at the bottom so that the genitals disappear. They are also cropped on the sides, meaning that the scientific reference of the photographs, the anthropometer, likewise disappears from the image.*

ten is te duidelijk om nog van prachtexemplaren te kunnen spreken.
Dr. Stratz is een goede bekende van het Rijks Ethnografisch Museum, zoals het Rijksmuseum voor Volkenkunde toen heette. Hij gaat in Den Haag wonen en leent foto's uit de museumcollectie om te gebruiken voor zijn boeken. In *Die Rassenschönheit des Weibes* treffen we de foto's aan van Congo-negerinnen die tentoongesteld waren op de Wereldtentoonstelling in Antwerpen in 1894, een foto van een meisje uit Fidji en foto's van naakte Iraanse vrouwen gemaakt door Antoine Sevruguin. In zijn volgende bestseller, *Naturgeschichte des Menschen* uit 1904 neemt Stratz wederom foto's uit de Leidse collectie op: antropometrische foto's van Dajak (Borneo) van Jean Demmeni, vier portretfoto's van 'Kaffers' gemaakt door de Duitse Trappistenorde Mariannhill rond 1894, enkele foto's van schedels die in het bezit van het museum zijn en zes van de acht eerder genoemde antropometrische foto's van Foelsche. Hoewel Stratz geen moeite heeft met het publiceren van foto's waarop vrouwelijke geslachtsdelen duidelijk te zien zijn, gaat hij niet zo ver om ook de mannelijke delen van deze Aborigines te tonen. De oorspronkelijke foto's worden aan onderkant bijgesneden zodat de geslachtsdelen verdwijnen. Ook de zijkanten worden bijgesneden, waardoor de wetenschappelijk referentie van de foto's, de meetlat, eveneens uit het beeld verdwijnt.

‘Maroons of Boschnegers van Nederlands Guiana: Aucaners en Saramacaners’.

Wereldtentoonstelling, Amsterdam 1883

‘Maroons or Boschnegers from Dutch Guiana: Aucans and Saramacans’.

International Exhibition, Amsterdam, 1883

'Aborigenes of vroegste bewoners van Suriname: Arowaken en Caraïben Indianen'.
Wereldtentoonstelling, Amsterdam 1883.
'Aborigines, or the earliest inhabitants of Surinam: Arowaks and Caribs'.
International Exhibition, Amsterdam, 1883

Deze drie foto's, gemaakt door Studio Photographie Française in Amsterdam, staan ook afgebeeld op de titelpagina van het album *Les Habitants de Suriname* van Prins Roland Bonaparte

These three photographs by Studio Photographie Française in Amsterdam

Pag. 46 t/m 49 Inheemsen uit Congo, tentoongesteld tijdens de Wereldtentoonstelling
in Antwerpen in 1894 (fotograaf onbekend)

Pioniers 1860-1920

De vraag naar foto's van vreemde culturen neemt tegen het eind van de 19de eeuw snel toe. In de grotere steden van de koloniën hebben fotografen inmiddels hun studio's gevestigd. Rond 1900 telt Nederlands-Indië al ruim 130 fotoateliers[3] van Nederlanders (o.a. Isidore van Kinsbergen, C. Nieuwenhuis), Engelsen (o.a. Woodbury & Page) vele Chinezen, enkele Japanners en van de Russische Armeniër Onnes Kurkdjian. Een belangrijke bron van inkomsten voor deze beroepsfotografen bestaat uit het maken van portretten van de kolonialen en de inheemse aristocratie of van het verkopen van fotomaterialen aan particulieren.
Particulieren vullen hun fotoalbums graag met foto's van de inheemse cultuur van het land waar ze tijdelijk wonen of doorheen reizen, van het exotische landschap en de koloniale architectuur. Deze foto's worden in grote hoeveelheden aangeboden en verkocht via de fotostudio's, in diverse formaten en ook stereoscopisch. Het is opvallend hoe de foto's uit verschillende werelddelen op elkaar lijken. Exotisme en erotiek keren overal terug in geënsceneerde studio-opnamen of buitentaferelen. Zo is de foto van Papoea's gemaakt door Woodbury & Page (zie pag. 41) opgenomen in hun eigen studio in Batavia en niet in Nieuw-Guinea.
Een enkele vakfotograaf maakt er echter meer werk van. Hij reist naar afgelegen gebieden om de inheemse bevolking in hun eigen omgeving te fotograferen. De foto's van C. Nieuwenhuis (Sumatra), Antoine Sevruguin (Iran) en C. LeMunyon (China) laten zien dat niet alle fotografen liever in de studio iets ensceneren dan echt op pad gaan.
Naarmate het reizen comfortabeler en korter wordt en de camera's handzamer gaan er ook anderen op reis naar de uithoeken van de wereld om te fotograferen. De studeerkamerantropologie staat ter discussie: men pleit ervoor dat onderzoekers zelf gaan kijken in plaats van gebruik te maken van door anderen aangeleverd materiaal.
Soms neemt men, als de middelen dat toelaten, een fotograaf mee op reis. Deze maakt de foto's volgens de aanwijzingen van de opdrachtgever. Frederick Starr, Amerikaans antropoloog verbonden aan de universiteit van Chicago, neemt in 1896 en 1898 twee fotografen mee op zijn tocht te paard door Zuid-Mexico om de verschillende typen van indianen aldaar te meten en te fotograferen. Johann Büttikofer, verbonden aan het Rijksmuseum voor Natuurlijke Historie in Leiden maakt al veel eerder – voor zover bekend – zelf de foto's tijdens zijn barre onderzoekstocht door Liberia in 1879.
Behalve van onderzoekers die fotograferen in dienst van een wetenschappelijke instelling of museum, betrekken de instellingen ook foto's van anderen die langere tijd in een speciaal gebied verblijven. Een dubieus geval is de Duitser Th.H. Thomann. Rond 1900 maakt hij reizen naar onder andere Birma, Cambodja en Thailand onder de noemer van archeologisch onderzoek. Ook hij heeft een fotograaf in zijn gevolg. In Birma, dan een Engelse kolonie, slaan zij hun kampement op in een klooster bij Pagan, bij een oud boeddhistisch tempelcomplex. Nadat zij drie maanden allerlei verdachte klopgeluiden hebben aangehoord, vertrouwen de plaatselijke autoriteiten het niet en wordt het kamp onderzocht. Dan blijkt dat Thomann c.s. inmiddels zo'n honderd

Pioneers 1860-1920

The demand for photographs of alien cultures increased sharply as the end of the 19th century approached. By that time photographers had established themselves in the larger cities of the colonies. Around 1900 the Dutch East Indies already had over 130 photography studios[3] operated by Dutchmen (among them Isidore van Kinsbergen and C. Nieuwenhuis), Englishmen (Woodbury & Page, among others), many Chinese, several Japanese, and the Russian Armenian Onnes Kurkdjian. An important source of income for these professional photographers was making portraits of the colonialists and the native aristocracy, and the sale of photographic materials to private collectors.
These individuals were only too glad to fill their photograph albums with pictures of the native cultures of the lands through which they travelled or where they lived for a period, of exotic landscapes and colonial architecture. Such photographs were offered and sold in abundance through the photography studios, in various formats, including stereo views. It is striking how similar to one another the photographs from different quarters of the globe are. Exoticism and the erotic return everywhere in the staged studio shots or outdoor tableaus. For example, the photograph of Papuans made by Woodbury & Page (page 41) was taken in their own studio in Batavia, and not in New Guinea.
There were photographers who now and then went beyond these formulae. They travelled to isolated areas to photograph the native peoples in their own surroundings. The photographs of C. Nieuwenhuis (Sumatra), Antoine Sevruguin (Iran) and C. LeMunyon (China) demonstrate that not all photographers would rather stage something in their studio than go out and actually find subjects.
As travel became more comfortable and faster, and cameras handier, others also journeyed to the corners of the earth to photograph. Armchair anthropology came to be questioned; arguments were heard that researchers should go see things for themselves instead of making use of material provided by others. Sometimes, if their means allowed it, such researchers would take a photographer along on their trips, who would take photographs as directed by their client. Frederick Starr, the American anthropologist connected with the University of Chicago, took two photographers along with him on his journeys on horseback through Southern Mexico in 1896 and 1898, in order to measure and photograph the various types of Indians there. Johann Büttikofer, connected with the National Museum for Natural History in Leiden had already much earlier taken photographs on location - to the best of our knowledge - during his gruelling research expedition in Liberia in 1879.
In addition to researchers who photographed in the service of a scientific institution or museum, institutions also obtained photographs from

'Buka krijgers in hinderlaag'. Solomonseilanden ca. 1906. Foto toegeschreven aan Richard Parkinson *'Buka warriors in ambush'. Solomon Islands, ca. 1906. Photograph ascribed to Richard Parkinson*

C. Nieuwenhuis: Vrouwen van de Mentawei eilanden, ca. 1880
Women of the Mentawai Islands, ca. 1880

others who stayed in a particular region for longer periods of time. A dubious case is the German Th.H. Thomann. Around 1900 he travels to Burma, Cambodia and Thailand under the guise of archaeological research. He also included a photographer in his entourage. In Burma, then a British colony, they set up camp at a monastery near Pagan, near on old Buddhist temple complex. After hearing all sorts of suspect hammering for three months the local authorities became distrustful and searched the camp. It then appeared that Thomann and company had already cut about a hundred Jataka wall paintings, sculptures and other details from the Buddhist temples and pagodas. They were expelled from the country by the British authorities, but a large part of their booty was already under way to Germany by boat. Back in Germany he attempted to sell his collection to museums for a large sum. Ultimately he succeeded in disposing of the archaeological objects to the Hamburg Museum für Völkerkunde for 65,000 marks, where it now comprises the Sammlung Thomann.[4] *Under the name of H. Thamann this same Thomann also approached the Museum at Leiden. He was unable to sell them any objects, but did sell the Museum a large series of photographs of temples in Cambodia and Thailand. An otherwise peculiar German was R. Parkinson. In 1876 he travelled to Apia in Samoa as a staff member of the Museum Godeffroy, of the trading firm of the same name in Hamburg, with, among other assignments, the instruction to purchase land. He became interested in the native culture and began to photograph it. Subsequently he lived a longer period in New Guinea and on the Bismark Archipelago, also taking photographs there. His Papua Album appeared in 1894/1900 in two volumes, which were also acquired by the Museum in Leiden. Between 1870 and 1880 the Pole Johann Kubary and the German Amalie Dietrich travelled around through the South Pacific and Australia at the expense of this same Museum Godeffroy. They provided the Museum with photographs and skulls of Aborigines. The Museum offered both of these for sale. Via their catalogue one could order prints of the photographs in the desired format: carte de visite (DM 0,50), cabinet format or stereo (DM 0,75), quarto (DM 2,-), or Royal (DM 4,-), or in the album assembled in 1880, Südsee-Typen. Anthropologisches Album des Museums Godeffroy, with 175 'Originalphotographien' for DM 50,-.*[5]

All these early photographers made photographs in order to let those who remained at home see what they had seen. Europeans were hungry for these images. But very soon the supply hád risen to the point that photographers had to compete with one another for the attention of potential buyers. The photographs not only had to inform, but also to tempt buyers, and for the latter aesthetics and artistic values were thought important. Photographers made images which they hoped would sell well, both to museums and individuals. In this attempt to please clients they catered to fantasies - particularly those of male Europeans - about foreign peoples, and confirmed existing stereotypical concepts that had been lodged in people's heads for some time, which people readily saw confirmed 'for

Jataka muurschilderingen, sculpturen en andere bijzonderheden van boeddhistische tempels en pagodes gesloopt hebben. Ze worden het land uitgezet door de Britse autoriteiten, maar een groot deel van de buit is dan al per schip onderweg naar Duitsland. Terug in Duitsland probeert hij zijn collectie voor veel geld te verkopen aan musea. Uiteindelijk slaagt hij erin om archeologische objecten voor DM 65.000 aan Het Hamburgisches Museum für Völkerkunde te slijten waar deze nu bekend staan als de Sammlung Thomann.[4] Onder de naam H. Thamann benadert deze Thomann ook het museum in Leiden. Hij kan geen voorwerpen slijten, maar uiteindelijk koopt het museum wel een grote serie foto's van tempels in Cambodja en Thailand. Een anderszins bijzondere Duitser is R. Parkinson. In 1876 reist hij als medewerker van het museum Godeffroy van de gelijknamige handelsfirma te Hamburg naar Apia op Samoa, met onder meer de opdracht om land aan te kopen. Hij raakt geïnteresseerd in de inheemse cultuur en gaat deze fotograferen. Vervolgens verblijft hij langere tijd in Nieuw-Guinea en de Bismarck Archipel en maakt ook daar foto's. In 1894/1900 verschijnt zijn Papua Album in twee delen, dat ook door het museum in Leiden wordt aangeschaft. De Pool Johann Kubary en de Duitse Amalie Dietrich reizen rond 1870/1880 door het Zuidzeegebied en Australië op kosten van datzelfde museum Godeffroy. Zij leveren het museum foto's en schedels van Aborigines. Het museum biedt deze beide te koop aan. Men kan via een catalogus afdrukken van de foto's bestellen in een gewenst formaat: carte de visite (DM 0,50), kabinetformaat of stereofotografie (DM 0,75), Quarto (DM 2,-) of Royal (DM 4,-) of het in 1880 samengestelde album 'Südsee-Typen. Anthropologisches Album des Museums Godeffroy' met 175 'Originalphotographien' voor DM 50,-.[5]

Al deze fotografen van het eerste uur maakten foto's om de thuisblijvers te laten zien wat zij gezien hadden. In Europa snakte men naar deze beelden. Maar er was ook snel al zoveel aanbod dat de fotografen met elkaar moesten concurreren om de aandacht van potentiële afnemers. De foto's moesten niet alleen informeren, maar ook verleiden tot aanschaf, waarbij esthetiek en artisticiteit belangrijk werden gevonden. De fotografen maakten de beelden waarvan ze hoopten dat ze goed verkocht zouden worden, zowel door musea als door particulieren. Deze klantvriendelijkheid kwam tegemoet aan de fantasieën over vreemde volken van vooral het mannelijk deel van de Europese bevolking en bevestigde bestaande stereotype voorstellingen die zich al eerder in de hoofden van de mensen genesteld hadden en die men graag 'in het echt' terug zag op de foto's. Hoe exotischer het afgebeelde, des te beter voor de verkoop. Kannibalen, koppensnellers en blote borsten zijn de thema's die veel terugkeren.
De zorgvuldige composities en uitgekiende ensceneringen laten zien hoe gewichtig fotograferen in de begintijd was en hoe dicht de fotografie dan nog staat bij de beeldtaal van de vroegere gravures en schilderijen. Ook voor de kostbare fotoalbums die fotografen samenstelden was blijkbaar een markt: het zijn grote boeken met ingeplakte, originele foto's, in een beperkte oplage gemaakt en met een minimum aan tekst. Na ca. 1900 worden deze boeken met wetenschappelijke ambities een zeldzaamheid.

AZZA
223

real' in photographs. The more exotic the subject, the better the sales. Cannibals, head-hunters, and bare breasts are themes which recur over and over again.
The careful compositions and sophisticated staging show how significant photography was in the early days, and how close photography still stood then to the visual vocabulary of earlier engravings and paintings. There apparently was also a market for expensive photographic albums that brought together these photographs: the large books with original photographs tipped in, produced in limited editions and with a minimum of text. After 1900 these books with scientific pretensions become rare.

Before it is too late

Thousands of exotic objects were shipped to the Netherlands during the 19th century. They were acquired or seized during expeditions, journeys of exploration and military campaigns (Aceh, Lombok). Also Roman Catholic and Protestant missions, trading companies and private dealers contributed to this exodus (or, respectively, entry) of objects. Much of this material - not only objects but also exotic plants, animals and rocks - ended up in institutions like the National Museum of Antiquities (established in 1818), the National Museum of Natural History (1820), and the Royal Cabinet of Rarities (1821). The first museum in which only ethnographic materials were assembled was founded in Leiden in 1837, the present National Museum of Ethnology.
At the end of the 19th century this Museum purchased many photographs through the catalogue of the Museum Godeffroy discussed above. One of the directors at that time, J. Schmeltz, knew this collection very well; he had assisted in the compilation of the catalogue. An important argument for the Museum collecting photographs was the conviction that non-European cultures - and in particular the most primitive cultures, such as those of the Aborigines in Australia, the Papuans in New Guinea, the Tierra del Fuego Indians in Patagonia, and the Khoi (Hottentots) and San (Bushmen), both in South Africa - would quickly disappear. The isolation in which these people had lived for centuries, and which had assured that their cultures had been preserved in their 'ur-forms', was presently coming to an end through the contacts with the West. No resistance was possible against the West's cultural supremacy. These peoples would die out or disappear into the margins of their coloniser's culture after being driven from their homelands, through contact with bacteria and viruses brought by the Europeans, or simply because they are exterminated.
The Aborigines of Tasmania and the Indians of Tierra del Fuego were poignant examples of indigenous cultures that quickly disappeared after contact with whites. The pathetic story of the last 'wild' Indian in North America, Ishi, who in 1911 was discovered exhausted and deranged near a slaughterhouse in California indicates that the Museum's concerns were not unreasonable.[6]

'H. Thamann als Buddhistische monnik; de naam op zijn waaier is die van zijn echtgenote'. Cambodja, Siem Reap, 1906. Fotograaf in dienst van Th.T. Thomann. *'H. Thamann as Buddhist monk; the name on his fan is that of his wife.' Cambodia, Siemreab, 1906. Photographer in service of Th.T. Thomann*

Voor het te laat is

In de tweede helft van de 19de eeuw worden duizenden exotische voorwerpen naar Nederland verscheept. Tijdens expedities, exploratietochten en veldslagen (Atjeh, Lombok) zijn ze gekocht of buitgemaakt. Ook zending, missie, handelshuizen en particuliere handelaren dragen bij aan deze voorwerpenuittocht respectievelijk -intocht. Al dit materiaal – niet alleen voorwerpen maar ook exotische planten, dieren en gesteenten – komt terecht in instellingen als het Rijksmuseum voor Oudheden (opgericht in 1818), het Rijksmuseum voor Natuurlijke Historie (1820) en het Koninklijk Kabinet van Zeldzaamheden (1821). Het eerste museum waarin alleen etnografisch materiaal wordt opgeslagen wordt in 1837 gevestigd in Leiden, en heet nu Rijksmuseum voor Volkenkunde.
Het Rijksmuseum voor Volkenkunde koopt aan het eind van de 19de eeuw veel foto's aan de hand van de eerder genoemde catalogus van museum Godeffroy. Een van de directeuren in die tijd, J.Schmeltz, kende deze collectie zeer goed – hij had nog meegewerkt aan de samenstelling van de catalogus.
Een belangrijk argument voor het museum om foto's te verzamelen is de overtuiging dat de buiteneuropese culturen – en dan vooral de meest primitieve zoals de Aborigines in Australië, de Papoea's in Nieuw-Guinea, de Vuurlandindianen in Patagonië, de Khoi (Hottentotten) en San (Bosjesmannen) beide in Zuid-Afrika – snel zullen verdwijnen. Aan het isolement waarin deze volken lange tijd hebben geleefd en dat ervoor gezorgd heeft dat hun cultuur nog in 'oervorm' bewaard is, zal weldra een eind komen door het contact met het Westen. Tegen deze overmacht is geen verweer mogelijk. Volken sterven uit of verdwijnen in de marge van de cultuur der kolonisators na verjaagd te zijn uit hun woongebied, door het contact met bacteriën en virussen die de Europeanen met zich meedragen of doordat ze uitgemoord zijn. De Aborigines van Tasmanië en de indianen van Vuurland zijn schrijnende voorbeelden van inheemse culturen die snel na het contact met de blanken verdwijnen. Ook het aandoenlijke verhaal van de laatste 'wilde' Indiaan Ishi die in 1911 uitgeput en verdwaasd aangetroffen wordt bij een slachthuis in Californië geeft aan dat het museum zich niet onnodig zorgen maakt.[6]
Er is dus haast geboden bij het verzamelen. Of de foto's nu voor wetenschappelijke doeleinden zijn gemaakt of voor de commerciële markt, door amateurs of professionals, maakt niet veel uit. Van enige systematiek in het verzamelen is geen sprake en foto's van alle culturen zijn welkom, niet alleen van de koloniale gebieden. Dit verklaart het feit dat de fotocollectie van het Rijksmuseum voor Volkenkunde vergeleken bij andere koloniale collecties in Nederland in geografisch opzicht zo divers is. Naast vele foto's uit de koloniën bevat de collectie duizenden zeer uiteenlopende oude foto's van culturen verspreid over de hele wereld, waarbij minder exotische samenlevingen dichter bij huis niet zijn overgeslagen.

Thus the collecting must proceed apace. Whether the photographs had been made for scientific purposes or for the commercial market, by amateurs or professionals, did not matter much. There was no system to the collecting and photographs of all cultures were welcome, not only those of colonial territories. This explains why the photographic collection of the National Museum of Ethnology is so geographically diverse compared to other colonial collections in the Netherlands. In addition to photographs from Dutch colonies, the collection contains thousands of extremely diverse old photographs of cultures spread around the world in which less exotic societies closer to home are also represented.

Grafsteen te Dagestan, ca 1900.
Fotograaf onbekend.
(Gekocht van A. Dirz, München)
Gravestone in Dagestan, ca. 1900.
Photographer unknown.
(Purchased from A. Dirz, Munich)

'Ail Ali, étude de frênes'. (boomstudie) Noord-Afrika, ca. 1880
Fotograaf onbekend. Collectie Aubert
'Ail-Ali, étude de frênes.' (Tree study) North Africa, ca. 1880.
Photographer unknown. Aubert collection

China ca. 1905. Foto: Jonkheer A.J. van Citters (gezant te Peking)

China, ca. 1905. Photograph: Jonkheer A.J. van Citters (Envoy to Peking)

O.M. Norzunov: 'Gadan-Kansar, in 1751 paleis van de czaren van Tibet'. Centraal Tibet 1900/1901

O.M. Norzunov: 'Gadan-Kansar, in the 1751 palace of the emperors of Tibet'. Central Tibet, 1900/1901

F.Ts. Ts'ybikof: 'Bar-tsjoden'. Centraal Tibet 1900/1901

F.Ts. Ts'ybikof: 'Bar-tsjoden'. Central Tibet 1900/1901

Foto's gemaakt in opdracht van het Keizerlijk Russisch Aardrijkskundig Genootschap. Beide fotografen waren lamaïsten en hadden daardoor toegang tot 'de verboden stad' Lhasa. De serie werd door Rusland in 1904 aan het museum geschonken.

Photographs commissioned by the Imperial Russian Geographic Society. Both the photographers were lamas, and therefore had access to 'the forbidden city' of Lhasa. The series was presented to the Museum by the Russian government in 1904.

Cultuurrelativisme

Aan het begin van de 20ste eeuw is het evolutionisme in wetenschappelijk opzicht achterhaald. De invloedrijke Duits-Amerikaanse antropoloog Franz Boas bijvoorbeeld, ziet iedere cultuur als een op zichzelf staand geheel, met een eigen ontwikkeling, die medebepaald wordt door sociale en natuurlijke omstandigheden. Boas spoort zijn Amerikaanse leerling-antropologen aan om zelf op pad te gaan in plaats van schedels te meten of zich op foto's te baseren die door anderen zijn gemaakt. Hij is hiermee de grondlegger van het empirisch antropologisch onderzoek.
De moderne antropologie krijgt nu vorm met nieuwe stromingen en scholen, waarvan het structuralisme en functionalisme het antropologisch debat van de 20ste eeuw zullen domineren. Waren voor de evolutionisten en studeerkamerantropologen vooral de uiterlijke, fysieke kenmerken van culturen onderwerp van studie – de mensen en hun materiële cultuur – moderne antropologen concentreren zich op andere, niet zo zichtbare elementen van een samenleving. Familieverbanden, sociale relaties, machtsstructuren, taal, verhalen en mythen worden nieuwe, belangrijkere onderwerpen van studie. Meten en classificeren maken plaats voor het analyseren en interpreteren van sociale structuren en functionele verbanden.
Met dit verleggen van de aandacht van uiterlijke cultuurkenmerken naar achterliggende, minder zichtbare, sociale en functionele kenmerken is het overigens niet gedaan met de raciale opvattingen. Ideeën over de correspondentie tussen ras- en cultuurkenmerken woekeren ook binnen de antropologie door, ze zijn niet exclusief aan evolutionisten toe te schrijven. Metingen worden nog tot in de jaren vijftig verricht, alleen niet meer met het oog op rassenclassificatie, maar voor bijvoorbeeld het traceren van de migratiegeschiedenis van een volk.

Met het veranderen van opvattingen over culturen en methoden verandert ook de antropologische fotografie. De technische ontwikkeling van de fotografie heeft niet stilgestaan en maakt nieuwe benaderingen mogelijk. De camera's zijn inmiddels nog kleiner en lichter, de sluitertijden kunnen teruggebracht worden tot honderdsten van seconden en de glasplaat is vervangen door film. In de fotografie van na 1900 zien we dan ook een verschuiving optreden van statische, geregisseerde, 'autonome' beelden naar meer snapshot-achtige, documentaire beelden van mensen in hun culturele context als tegenhanger van de studiofotografie en fotografie in antropometrische stijl. Kwantitatief neemt de antropologische fotografie dan een grote vlucht.
De kleinbeeldcamera (Leica brengt deze in 1924 op de markt) en de handzame middenformaat camera (Rolleiflex, 1928) kunnen door velen betaald en gehanteerd worden en dat gebeurt dan ook. Geen antropoloog of koloniaal gaat nog zonder camera op pad. Men schiet honderden, soms duizenden foto's.
Maar naarmate er meer gefotografeerd wordt vermindert het belang dat aan de foto's gehecht wordt. Dat heeft te maken met de veranderende opvattingen over antropologische studies. Observaties en analyses van structurele en functionele cultuurkenmerken kan men beter in woorden vatten dan in

Cultural relativism

By the beginning of the 20th century evolutionism had become an outdated theory in the social sciences. The influential German-American anthropologist Franz Boas, for instance, saw every culture as an independent entity with its own development, which was in part defined by its social and natural environment. Boas encouraged his American anthropology students to go out and do field work instead of measuring skulls or basing their analysis of photographs made by others. In this he became the founder of empirical anthropological research.
Modern anthropology now took shape, with new currents and schools, of which two, structuralism and functionalism were to dominate anthropological debate in the 20th century. Where the outward, physical characteristics of cultures - the people and their material culture - were the primary subject of study among the evolutionists and armchair anthropologists, modern anthropologists concentrated on other, not so visible elements of a society. Family relationships, social relations, power structures, language, myths and folk tales became the new, more important subjects of study. Measuring and classifying gave way to analysing and interpreting social structures and functional connections.
This shift of attention away from outward elements of culture to underlying, less visible, social and functional elements did not mean however that racial conceptions had been laid to rest. Ideas about the correspondence between racial and cultural characteristics, which could not be exclusively ascribed to evolutionists, remained rampant within anthropology. Physical measurements were still being done into the 1950s, only no longer with the purposes of racial classification, but for instance to trace the migration history of a people.

With the changing concepts of culture and new methods, anthropological photography also changed. The technical development of photography had not stood still and made new approaches possible. Cameras were becoming lighter and smaller, exposure times could be reduced to hundredths of a second, and the glass plates were replaced by photographic film. In photography after 1900 then we also see a shift away from static, staged 'autonomous' images to more snapshot-like, documentary images of people in their cultural context, as a pendant to studio photography and photography in the anthropometric style. In terms of quantity, anthropological photography took off. The 35 mm camera - brought on the market by Leica in 1924 - and the convenient medium format camera (Rolleiflex, 1928) were affordable and could be operated by almost anyone - and that is indeed what happened. No anthropologist or colonial administrator set out without a camera. People took hundreds, sometimes thousands of photographs.
As more photographs were being made the importance attached to photographs diminished. That had to do with changing views about anthropological studies. Words are more appropriate tools for observations about and analysis of structural and cultural characteristics than photographs are. The importance of the image slowly but surely began to

wane in anthropological studies. The function of photography changed from objects of study, as they had been for the evolutionists, to illustrative material for the theories of modern anthropologists.

After 1920 the annual reports of the Museum in Leiden hardly mentions the photography collection anymore. Gifts were still received but were seldom found worth mentioning in the annual reports.
The photographs and negatives which came in were stashed away in their original packaging - cigar boxes and steamer trunks - without further attention being paid to them. Still, 1938 was an important year for the photography collection. The annual report announces that H.F. Tillema is moving his photo and film archive to the National Museum of Ethnology and that on his death it will become the property of the Museum. This was a large and important collection of images about the Dutch East Indies and New Guinea from the period of about 1890 to 1938, focusing on the life of the Indonesian population. In addition to documents, many publications and other materials, the archive contains about 3000 prints and negatives made by Tillema himself, 6000 photographs collected by Tillema but made by other photographers, and 10,000 metres of film, of which Tillema's film Naar Apo Kajan!*, about his trip through central Borneo, is the high point. The archive was stored in three steel cabinets that were opened only a half century later thanks to the persistence of a single researcher.[7] The Tillema collection is the only subcollection of the Museum to recently have achieved any fame. For the rest, the collection continued to grow of its own accord, but for the time being remained closed to the outside world.*

foto's. Langzaam maar zeker verdwijnt het belang van het beeld uit de antropologische studies. De functie van de foto's verandert van studieobject voor de evolutionisten tot illustratiemateriaal bij de theorieën van moderne antropologen.

Vanaf 1920 wordt er in de jaarverslagen van het museum nauwelijks meer iets gemeld over de fotocollectie in Leiden. Schenkingen worden wel in ontvangst genomen, maar men vindt het zelden de moeite waard om deze in de jaarverslagen te noemen. De binnengekomen foto's en negatieven worden in hun oorspronkelijke verpakking – sigarendoosjes, hutkoffers – weggeborgen zonder er veel aandacht aan te besteden.
1938 is toch nog een belangrijk jaar voor de fotocollectie. Het jaarverslag meldt dat H.F. Tillema zijn foto- en filmarchief onderbrengt in het Rijksmuseum voor Volkenkunde en dat het na zijn dood het eigendom zal worden van het museum. Het is een grote en belangrijke beeldcollectie over Indië en Nieuw-Guinea over de periode ca. 1890 tot 1938, waarin vooral het leven van de Indonesische bevolking centraal staat. Naast documenten, vele publicaties en ander materiaal bevat het archief zo'n 3000 afdrukken en negatieven gemaakt door Tillema zelf, 6000 foto's verzameld door Tillema maar door andere fotografen gemaakt en 10.000 meter film, waarvan Tillema's film *Naar Apo Kajan!* over zijn reis door Centraal Borneo een hoogtepunt vormt. Het archief wordt opgeborgen in drie stalen kasten die pas een halve eeuw later dankzij de volharding van een enkele onderzoeker geopend worden.[7]
De Tillema-collectie is de enige deelcollectie van het museum die recentelijk enige bekendheid heeft verworven. Voor het overige blijft de collectie vanzelf groeien maar voorlopig gesloten voor de buitenwereld.

H.Tillema

'Eén vaccinateur doet meer voor de pacificatie van Indië dan colonnes militairen'

'One vaccinator does more to pacify the East Indies than whole columns of soldiers.'

Arbeiders en opzichters. Collectie H.Tillema (z.j)

Labourers and overseers. Collection H. Tillema (n.d)

Badend kind in een riool. Collectie H. Tillema (z.j)

Child bathing in a sewer. Collection H. Tillema (n.d)

In the 1960s the Museum had a director who did concern himself with the photography collection. According to Director Pott the collection contained unique material, 'although this is chiefly of importance for obtaining historical insight into the way the image of non-European peoples was being shaped in the second half of the 19th century.' [8]
Pott was far ahead of his time in the importance he attached to the study of how the image of cultures developed. In 1960 he gave instructions for the arrangement of the photographic archive with an eye to a future photographic library that would play an important role in the Museum's presentations and educational activities. Work proceeded daily for about ten years, but no progress was really made because more photographs were coming in than they were able to process. Curators and researchers were presenting their whole archives and negative collections, which sometimes contained tens of thousands of shots. There were also photographs - primarily diapositives - being purchased, with an eye to the educational activities mentioned.
In 1962 the Museum presented an exhibition and publication prepared by Pott himself, Naar Wijder Horizon - Kaleidoskoop op ons beeld van de buitenwereld. *Based on many examples from book illustrations, literature, the visual arts, photography, film and television, Pott showed how our conceptions of the strange world outside our immediate experience came into being, what prejudices and false information distorted that image, and what consequences this has had for our relation to that world.* [9] *Pott's interest in the systematic arrangement of the photographic collection was not continued after his departure.*

In de jaren zestig van de 20ste eeuw heeft het museum een directeur die zich bekommert om de fotografiecollectie. Volgens directeur Pott bevat de collectie uniek materiaal 'al is dit in hoofdzaak van belang voor het verkrijgen van een historisch inzicht in de beeldvorming omtrent de niet-Europese mens in de tweede helft van de 19de eeuw'.[8]
Met het belang dat hij hecht aan het bestuderen van de beeldvorming van culturen is Pott zijn tijd ver vooruit. In 1960 geeft hij opdracht tot het ordenen van het fotoarchief met het oog op een toekomstige fototheek die een belangrijke rol moet spelen in de presentaties en educatieve activiteiten van het museum. Ruim tien jaar wordt hier dagelijks aan gewerkt, maar de taak komt niet af omdat er meer foto's binnenkomen dan verwerkt kunnen worden. Conservatoren en onderzoekers schenken hun complete archieven en negatievencollecties, die soms tienduizenden opnamen bevatten. Er worden ook weer foto's aangekocht, dia's vooral, met het oog op de genoemde educatieve activiteiten.
In 1962 presenteert het museum de door Pott zelf samengestelde tentoonstelling en publicatie *Naar Wijder Horizon – Kaleidoskoop op ons beeld van de buitenwereld*. Pott laat hier aan de hand van vele voorbeelden van boekillustraties, literatuur, beeldende kunst, fotografie, film en televisie zien hoe onze voorstellingen van de vreemde buitenwereld ontstaan zijn, welke vooroordelen en foute informaties dat beeld vertekenen en welke gevolgen dit heeft gehad tot onze verhouding voor die buitenwereld.[9] Potts belangstelling voor de systematische ordening van de fotocollectie wordt na zijn vertrek niet voortgezet.

willen maken. Bij hem zou de opzet zijn: bioscooppubliek te trekken, terwijl ik beoog documentatie, het vertoonen der onopgesmukte waarheid, waarin actie genoeg zit, maar geen sensatie. In geen geval zou ik een primitieve, gemoedelijke, sympathieke bevolking tot risée willen maken van een publiek, dat geamuseerd wil zijn!'

H.F.Tillema

(Filmen en fotografeeren in de tropische rimboe, 1930)[10]

'...demands which people seldom encounter otherwise are placed on the body and strength of anyone who enters the jungle. But there was more: a "professional," someone trained in "cinema," would want to make a film. For him the idea would be to attract moviegoers, while I had in mind documentation, the depiction of the ungarnished truth, in which there is action enough, but no sensationalism. There is no way I would make a primitive, amiable, likeable population into a laughing stock for an audience that wanted to be amused!'

Anthropological photography from 1945 to 1980

Not only the new approach to other societies, but principally the fact that anthropologists began to do field work - that is to say, went to live for a long period among the indigenous peoples in order to be able to study their language and culture - assured that the distance between the photographer (the anthropologist) and the subjects of the photographs changed drastically. The anthropologist had to make certain that he was accepted by the population in order to do his research and interviews, and that required a different attitude than the average colonialist could permit himself. Through the intensive contact many anthropologists became strongly attached to 'their' tribe, and became active agents for their interests in regard to the rest of the world.

The photographer carrying an enormous camera, attracting all the attention, was replaced by the researcher who hopes to make himself as invisible as possible. Artistic tendencies were suspect rather than a merit. One sees that the older photographs often give a romanticised image, and too often place the emphasis on exotic and primitive appearances. In his photography the anthropologist wants to efface his own presence among the population as much as possible. Thus an old form of image manipulation continues to exist, though unwittingly. Most anthropologists will have to admit that they have carefully left Western elements - whether or not they were the ones who had brought them - out of the picture, for the sake of what was thought of as 'authenticity' in their photographs.[11]

Within visual anthropology photography was elbowed aside by film. It is more expensive than photography, but offers more potential for recording the dynamics of reality and greater narrative capacity. Some photographers had discovered much earlier that the photo series afforded narrative possibilities that single photographs standing by themselves did not have. The photographs of Zulu culture made by the Trappist Mariannhill Order in Natal, South Africa around 1890 are very early examples of this.

In fact, after the war visual anthropologists saw photography as inferior to film. That a photo series could be more than a film played too slowly was definitely not yet a widely held view. The days of 19th century ethnographic albums with its plates had definitely come to an end . A special exception must be mentioned here, however. The three volume publication, De Bergpapoea's van Nieuw-Guinea en hun woongebied, *by C. Le Roux, who had been director of the National Museum of Ethnology from 1943 to 1947, was issued in 1950. The third volume of this work consists of a large collection of plates from impressive photographs made during the expeditions to the interior of New Guinea in 1926 and 1939.*[12] *The quality of the photographic printing is outstanding, full justice is done to the panoramic photographs by their page-wide presentation, and through the importance that the photographs are given in the publication in general, this album is seen worldwide as an isolated high point in the use of anthropological photography after the war.*

The Museum had no interest, however, in the products of professional

Antropologische fotografie van 1945 tot 1980

Niet alleen de nieuwe benadering van andere samenlevingen, maar vooral het feit dat antropologen veldwerk gaan doen – dat wil zeggen dat zij voor lange tijd gaan wonen tussen inheemsen om hun taal en cultuur te kunnen bestuderen – maakt dat de afstand tussen fotograaf (de antropoloog) en gefotografeerde drastisch verandert. De antropoloog moet ervoor zorgen dat hij geaccepteerd wordt door de bevolking om zijn onderzoek en interviews te kunnen doen en dat vergt een andere houding dan de doorsnee koloniaal zich kon veroorloven. Door het intensieve contact raakt menig antropoloog sterk betrokken bij 'zijn' stam en wordt hij een actief zaakwaarnemer van hun belangen tegenover die van de rest van de wereld.

De fotograaf met de enorme camera die alle aandacht naar zich toetrekt is vervangen door de onderzoeker die zelf zo onzichtbaar mogelijk hoopt te zijn. Artisticiteit is eerder verdacht dan een verdienste. Men ziet dat de oudere foto's vaak een geromantiseerd beeld geven en te vaak de nadruk leggen op het exotische en primitieve uiterlijk. De antropoloog wil zijn eigen aanwezigheid tussen de bevolking in zijn fotografie zoveel mogelijk wegpoetsen. Zo blijft een oude vorm van beeldmanipulatie nog even ongewild bestaan. Menig antropoloog zal moeten toegeven dat hij de – al dan niet door hemzelf ingebrachte – westerse elementen indertijd zorgvuldig uit beeld heeft gelaten omwille van de zogenaamde authenticiteit van zijn foto's.[11]

Binnen de visuele antropologie wordt de fotografie verdrongen door de film. Het is kostbaarder dan fotografie, maar heeft meer mogelijkheden om de dynamiek van de werkelijkheid te registreren en om verhalend te zijn. Sommige fotografen ontdekten overigens al eerder de narratieve mogelijkheden van de foto*serie* in plaats van de enkele, op zich zelf staande foto. De foto's van de Zulucultuur gemaakt door de Trappistenorde Mariannhill in Natal (Zuid-Afrika) van rond 1890 zijn hier al vroege voorbeelden van.

In feite zien de visuele antropologen van na de oorlog de fotografie als minderwaardig aan film. Dat een fotoserie meer kan zijn dan een te langzaam afgedraaide film is bepaald nog geen gemeengoed.

In wetenschappelijke publicaties speelt de fotografie nog maar een bescheiden rol. De tijden van het 19de-eeuwse etnografische platenalbum zijn helemaal voorbij. Een bijzondere uitzondering moet hier wel genoemd worden: In 1950 verschijnt de driedelige wetenschappelijke publicatie *De Bergpapoea's van Nieuw-Guinea en hun woongebied* van C. Le Roux, van 1943-1947 directeur van het Rijksmuseum voor Volkenkunde. Het derde deel van deze uitgave bestaat uit een grote platenatlas met indrukwekkende foto's, gemaakt tijdens de expedities van 1926 en 1939 naar de binnenlanden van Nieuw-Guinea.[12] De drukkwaliteit van de fotografie is uitstekend, de panoramafoto's komen paginabreed tot hun recht en door de importantie die de foto's in zijn algemeenheid in de uitgave krijgen is dit album wereldwijd gezien een eenzaam hoogtepunt in het gebruik van antropologische fotografie van na de oorlog.

Voor het werk van professionele fotografen die fotograferen in dezelfde gebieden als waar antropologen hun onderzoek doen heeft het museum geen belangstelling. Het is niet met wetenschappelijke bedoelingen gemaakt en

A.A.Gerbrands: Matjemosj, Asmat houtsnijder. Zuidwest Nieuw-Guinea, 24 maart 1961

A.A. Gerbrands: Matjemosj, Asmat wood carver. Southwest New Guinea, March 24, 1961

photographers who worked in the same areas where anthropologists had done their research. Their work was not made with scientific intentions, and the insight that their work would henceforth define the pictoral image we carry around in our minds of other cultures was still not relevant in anthropology before 1980. Photography by anthropologists remained increasingly within the discipline. They photographed for themselves, without any other ambition than documentation.
For that reason the more recent photography in ethnographic collections is certainly representative of academic, anthropological photography, but not of the complete photographic image that people in the West get to see of other cultures. The tourist industry, the print media and popular culture in general are, after all, the most influential distributors of images.[13] *If we can still place the photography of other cultures until 1920 under the heading anthropological photography, in the sense that it was made for or by anthropologists and/or collected by them, after that date the production of photographic images of such cultures diversifies to such a degree that this appellation no longer covers the field.*

Recent developments

Better times dawned for ethnological photographic archives around 1980. In 1976 the Peabody Museum of Archaeology and Ethnology, at Harvard University, in the U.S.A. was the first to decide to store its Photographic Archive in temperature and humidity controlled conditions and in 1986 there followed the publication and exhibition From Sight to Sight - Anthropology, Photography, and the Power of Imagery. *In 1980 Britain's Royal Anthropological Institute came out with its collection with the travelling exhibition* Observers of Men. *In 1989 the thorough German study* Der geraubte Schatten - Eine Weltreise im Spiegel der ethnografischen Photographie, *on anthropological photography in German-speaking Europe, appeared. By that time the Museum voor Volkenkunde in Rotterdam had already begun a series of publications on its photography collection, including* Toekang Potret, *on photography in the Dutch East Indies.* Anthropology & Photography 1860-1920 *appeared in 1992, with photography from various English colonial collections.*[14]
Not only were ethnographic museums discovering their photographic archives, photographers began attempting to bridge the gap between anthropological and professional photography that is visible especially in Europe. The English photographer Martin Parr surprised the (art) public with a number of striking photographic series with which he demonstrated that photography can be both good modern anthropology and fascinating. In the Netherlands the artist Roy Villevoye, among others, realised an unorthodox and controversial project for the National Museum of Ethnology about, and together with, the Asmat population in southwest New Guinea.[15]
Work by professional photographers with 'anthropological' subjects has penetrated the art circuit. Photography, film, video and digital technology are no longer separate worlds. Ethnographic museums, including the museum in Leiden, now show work by professional photographers which previously would not

het inzicht dat hun werk de fotografische beeldvorming over andere culturen voortaan bepaalt is nog niet relevant binnen de antropologie van voor 1980. De fotografie van de antropologen blijft steeds meer binnenskamers. Men fotografeert voor zichzelf, zonder enige andere ambitie dan documenteren. Om die reden is de recentere fotografie die zich in deze collecties bevindt wel representatief voor de wetenschappelijke antropologische fotografie, maar niet voor het complete fotografisch beeld dat men in het Westen onder ogen krijgt van de andere culturen. De toeristenindustrie, de papieren media en de populaire cultuur in zijn algemeenheid, zijn inmiddels veel invloedrijkere beeldverspreiders.[13] Konden we de fotografie van andere culturen tot 1920 nog allemaal onder de noemer antropologische fotografie plaatsen, in de zin van voor of door antropologen gemaakt en/of verzameld, daarna wordt de fotografische beeldproductie dermate gedifferentieerd dat deze aanduiding de lading niet meer dekt.

Recente ontwikkelingen

De betere tijden voor de volkenkundige fotoarchieven breken aan rond 1980. Het Peabody Museum of Archaeology and Ethnology (Harvard University, USA) besluit als eerste in 1976 om haar Photographic Archives onder klimatologisch verantwoorde omstandigheden op te bergen en in 1986 volgen publicatie en tentoonstelling *From Site to Sight – Anthropology, Photography, and the Power of Imagery*. In 1980 treedt het Royal Anthropological Institute (UK) naar buiten met haar collectie met de reizende tentoonstelling *Observers of Men*. In 1989 verschijnt de grondige Duitse studie *Der Geraubte Schatten – Eine Weltreise im Spiegel der Ethnografischen Photographie* over de antropologische fotografie in Duitstalig Europa. Het Museum voor Volkenkunde in Rotterdam is dan al eerder gestart met een serie publicaties over de fotografiecollectie, waaronder *Toekang Potret* over fotografie uit Nederlands-Indië. In 1992 verschijnt *Anthropology & Photography 1860-1920* met fotografie uit diverse Engelse koloniale collecties.[14]
Niet alleen ontdekken volkenkundige musea hun historische fotoarchieven, maar fotografen proberen de vooral in Europa zo scherpe grens tussen antropologie en professionele fotografie te overbruggen. De Engelse fotograaf Martin Parr verbaast het (kunst)publiek met een aantal opvallende fotoseries waarmee hij aantoont dat fotografie heel goed ook moderne antropologie én boeiend kan zijn. In Nederland is het onder andere kunstenaar Roy Villevoye die ruim tien jaar later, voor het Rijksmuseum voor Volkenkunde een onorthodox en omstreden project realiseert over en samen met de Asmatbevolking in Zuidwest Nieuw-Guinea.[15]
Het werk van professionele fotografen met 'antropologische' onderwerpen is doorgedrongen tot het kunstcircuit. Fotografie, film, video en digitale technologie zijn geen gescheiden werelden meer. Volkenkundige musea, ook het museum in Leiden, exposeren inmiddels werk van de professionele fotografen die eerder niet aan bod kwamen.
In het kader van deze tentoonstelling en publicatie verstrekte het museum nieuwe opdrachten. Op basis van het fotomateriaal dat zich in de collectie bevindt werken Susan Meiselas (VS), Diana Blok (Uruguay/Nederland) en

Martin van den Oever (Nederland) aan verschillende projecten. Het feit dat er in de collectie niet één foto van het eiland Aruba (Nederlandse Antillen) zit was aanleiding voor de opdracht aan de Arubaanse fotografe Nadine Salas om een serie te maken over de identiteit van haar eigen eiland.
Nog recenter zijn de presentaties van individuele westerse en niet westerse kunstenaars in de volkenkundige musea waarin zij hun eigen culturele identiteit verbeelden. Oude grenzen vervagen en nieuwe grenzen worden getrokken.
Wat fotograferende onderzoekers en onderzoekende fotografen gemeen hebben is het 'probleem' van objectiviteit en subjectiviteit in de representatie van 'anderen' binnen en buiten de eigen samenleving. Vanuit verschillende doelstellingen zoeken beide naar effectieve documentaire strategieën. Voor de een is het artistieke element dominant, voor de ander het informatieve. Dat pleit voor het opnieuw in ere herstellen van een oude traditie: samenwerking tussen onderzoekers, musea en fotografen/filmers.
En de 'inboorlingen' zelf zijn inmiddels zo bijdehand om voor de gelegenheid de fotografen en toeristen om de tuin te leiden. Ze halen hun peniskokers en stenen bijlen uit de kast om te laten zien wat de bezoekers willen zien. En zo kunnen 150 jaar na die eerste foto's dezelfde foto's weer gemaakt worden, nog echter, in kleur.

have gained entry there. In connection with this exhibition and publication, the Museum is awarding new commissions. Susan Meiselas (US), Diana Blok (Uruguay/The Netherlands) and Martin van den Oever (The Netherlands) are working on various projects based on the photographic material that is in the collection.
The fact that the collection possessed not one photograph from the island of Aruba in the Dutch Antilles led to the Aruban photographer Nadine Salas being commissioned to produce a series on the identity of her own island.
Even more recently there have been presentations by individual Western and non-Western artists in ethnographic museums, where they express their own cultural identity visually. As the old boundaries blur new lines are being drawn.
What photographing researchers and researching photographers have in common is the 'problem' of objectivity and subjectivity in the representation of 'others' inside and outside their own society. Both, with different objectives, seek effective documentary strategies. For the one the artistic element is dominant, for the other the informative. That argues for the restoration of an old tradition, the cooperation between researchers, museums and photographers/filmmakers. Furthermore, 'natives' by now are themselves so knowing as to even lead photographers and tourists down the garden path. They get their penis sheathes and stone axes out of the cupboard to let visitors see what they came prepared to see. Thus, 150 years after the first photographs, the same photographs can be made again, even more real, in colour.

Notes

1. *Cited from Dr. V.J. de Bruyn:* Het Verdwenen Volk. *Bussum, 1978 p. 64 and 316. Dr. De Bruyn was an administrator in New Guinea from 1939 to 1962.*
2. De expeditie naar Samalanga (januari 1901). Dagverhaal van een fotograaf te velde. *Door C. Nieuwenhuis, fotograaf te Padang; G. Kolff & Co. - Batavia, 1901, pages 1, 32 and 30.*
3. See Toekang Portret. 100 jaar fotografie in Nederlands-Indië 1839-1939, *Fragment/ Museum voor Volkenkunde Rotterdam, 1989.*
4. *See: Col. Ba Shin, K.J. Whitbread, G.H. Luce, et al.:* Pagan, Wetkyi-in Kubyauk-ghy, An early Burmese Temple with Ink-Glosses. *In: Artibus Asial, Vol. XXXIII, 1971, p. 167-169.*
5. *See: J.D.E. Schmeltz, R. Krause:* Die Ethnographisch-Anthropologische Abteilung des Museum Godeffroy in Hamburg. *Hamburg, 1881.*
6. *See: Theodora Kroeber:* Ishi in Two Worlds. A Biography of the Last Wild Indian in North America. *University of California Press, 1961.*
7. *See: H.F. Tillema:* A journey among the peoples of Central Borneo in word and picture. *Ed. Victor King. Oxford U. Press, 1989. This is an English reissue of the publication* Apo-Kajan. Een filmreis naar en door Centraal Borneo *(1938), seen through press by Tillema himself. See also Ewald Vanvught:* H.F. Tillema 1870-1952. Een propagandist van het zuiverste water. *Amsterdam, 1993.*
8. *Annual Report, Rijksmuseum voor Volkenkunde 1969, p. 38.*
9. *See: Dr. P.H. Pott:* Naar Wijder Horizon. *Mouton, The Hague 1962.*
10. *See: H.F. Tillema:* Filmen en fotografeeren in de tropische rimboe. *In: Nederlandsch-Indië, Oud en Nieuw, Vol. 15, Nr. 4 (Aug. 1930), p. 101.*
11. *See: Gosewijn van Beek:* The Object of Identity. *In: PhotoWork(s) in Progress/Constructing Identity. Ed. Linda Roodenburg, Rotterdam, 1997.*
12. *See: C.C.F.M. Le Roux:* De Bergpapoea's van Nieuw-Guinea en hun woongebied. *3 vols. Leiden, E.J. Brill, 1950.*
13. *For a thorough study and collection in this field, see: J. Nederveen Pieterse:* Wit over Zwart. Beelden van Afrika en zwarten in de westerse populaire cultuur. *Amsterdam/The Hague, 1990.*
14. *Roslyn Poignant:* Observers of Men. *The Royal Anthropological Institute/Photographers' Gallery, London 1980.*
    From Sight to Sight. Anthropology, Photography, and the Power of Imagery. *Ed. M. Banta, C.H. Hinsley. Peabody Museum Press, Cambridge, MA, 1986.*
    Der geraubte Schatten. *Eine Weltreise im Spiegel der ethnografischen Photographie. Ed. T. Theye. Munich/Lucerne, 1989.*
    Anthropology & Photography 1860-1920. *Ed. Elisabeth Edwards. Yale U. Press/The Royal Anthropological Institute, London 1992.*
15. *See: Roy Villevoye:* rood katoen *(red calico). Rijksmuseum voor Volkenkunde/ Rijksgebouwendienst, Leiden 2001.*

Noten

1. Citaat uit: Dr. V.J. de Bruyn: *Het Verdwenen Volk*. Bussum, 1978 p. 64 en 316. Dr. V.J. de Bruyn was bestuursambtenaar in Nieuw-Guinea van 1939-1962.
2. *De expeditie naar Samalanga (januari 1901). Dagverhaal van een fotograaf te velde.* Door C.Nieuwenhuis, fotograaf te Padang; G.Kolff&Co – Batavia, 1901, pagina's 1, 32 en 30.
3. Zie: *Toekang Potret. 100 jaar fotografie in Nederlands-Indië 1839-1939*. Fragment/Museum voor Volkenkunde Rotterdam, 1989
4. Zie: Col. Ba Shin, K.J. Whitbread, G.H.Luce, *et al.: Pagan, Wetkyi-in Kubyauk-ghy, An early Burmese temple with Ink-Glosses*. In: Artibus Asial, Vol. XXXIII, 1971.p. 167-169.
5. Zie: J.D.E. Schmeltz, R.Krause: *Die Ethnographisch-Anthroplogische Abteilung des Museum Godeffroy in Hamburg*. Hamburg, 1881.
6. Zie: Theodora Kroeber: *Ishi in Two Worlds. A Biography of the last wild Indian in North America*. University of California press, 1961.
7. Zie: H.F. Tillema: *A journey among the peoples of Central Borneo in word and picture*. Ed. Victor King. Oxford University Press, 1989. Dit is een Engelstalige heruitgave van de door Tillema zelf verzorgde publicatie Apo-Kajan. *Een filmreis naar en door Centraal Borneo* (1938). Zie: Ewald Vanvught: *H.F.Tillema 1870-1952. Een propagandist van het zuiverste water.* Amsterdam, 1993.
8. Jaarverslag Rijksmuseum voor Volkenkunde 1969 pag. 38.
9. Zie: Dr. P.H. Pott: *Naar Wijder Horizon*. Mouton, 's Gravenhage 1962
10. Zie: H.F. Tillema: *Filmen en fotografeeren in de tropische rimboe*. In: Nederlandsch-Indië, Oud en Nieuw. Nr 4, 15e jaargang (aug. 1930) p 101.
11. Zie: Gosewijn van Beek: *The Object of identity*. In: PhotoWork(s) in Progress/Constructing Identity. Ed. Linda Roodenburg, Rotterdam 1997
12. Zie: C.C.F.M. Le Roux: *De Bergpapoea's van Nieuw-Guinea en hun woongebied*. 3 dln. Leiden, E.J. Brill, 1950
13. Zie voor een gedegen studie en verzameling op dit gebied: J. Nederveen Pieterse: *Wit over Zwart. Beelden van Afrika en zwarten in de westerse populaire cultuur*. Amsterdam/Den Haag, 1990
14. Roslyn Poignant: *Observers of Man*. The Royal Anthropological Institute/Photographers' Gallery, London 1980. *From Site to Sight. Anthropology, Photography, and the Power of Imagery*. Ed. M.Banta, C.H.Hinsley. Peabody Museum Press, Cambridge 1986. *Der geraubte Schatten*. Eine Weltreise im Spiegel der ethnografischen Photographie. Ed. T.Theye, München/Luzern, 1989. *Anthropology and Photography 1860-1920*. Ed. Elisabeth Edwards. Yale University Press/The Royal Anthropological Institute, London 1992.
15. Zie: Roy Villevoye: *rood katoen* (red calico). Rijksmuseum voor Volkenkunde/Rijksgebouwendienst, Leiden 2001.

Roy Villevoye: 'Presents',

Asmat, West Papua, 1994.

Fotografen
Photographers

C.E. LeMunyon

Fotograaf in China vanaf 1902

Over deze fotograaf weten we alleen via een advertentie dat hij in december 1902 een fotostudio opent in Hong Kong. Daar kan men naast foto's ook uit New York geïmporteerde, fotografische materialen kopen.
In 1903 adverteert LeMunyon nogmaals met de mededeling dat men nu ook portretten bij hem kan laten maken. Daarna verschijnt zijn naam niet meer in de plaatselijke kranten van Hongkong. Waarschijnlijk is hij dan uit deze Britse kolonie vertrokken om zich in Peking te vestigen. Daar is hij in ieder geval in 1927, want in dat jaar levert of geeft hij een serie van 60 foto's aan een Nederlandse vriend aldaar. Deze foto's, gemaakt rond 1910 in en buiten Peking, bevinden zich nu in het Rijksmuseum voor Volkenkunde. Voor zover bekend zijn er geen andere foto's bewaard gebleven van LeMunyon.

Photographer in China since 1902

Of this photographer we know only from an advertisement that he opened a photography studio in Hong Kong in December, 1902. There, in addition to photographs, one could also purchase photographic materials imported from New York. In 1903 LeMunyon once again advertised, with the announcement that one could also have their portrait made at his establishment. With that, his name disappears from the local Hong Kong newspapers. Apparently he then left the British colony to settle in Beijing. In any case, he was in that city in 1927, because in that year he furnished or gave a series of 60 photographs to a Dutch friend there. These photographs, made around 1910 in and around Beijing, are now in the National Museum of Ethnology. As far as we know, no other photographs by LeMunyon have been preserved.

飛

文明世

Jean Demmeni

(1866 – 1939)

Expedities naar Centraal Borneo met A.W. Nieuwenhuis in 1896 en 1899

Duizenden leerlingen van Nederlandse middelbare scholen hebben schoolplaten gezien uit de serie *Platen van Nederlandsch Oost- en West Indie*, uitgegeven door Kleynenberg & Co te Haarlem tussen 1911 en 1913.
De serie bestaat uit 171 grote wandplaten, prachtig gedrukt op basis van zwart-witfoto's. Tot in de jaren 1940 hingen ze in de lokalen. Een groot deel van de foto's is gemaakt door fotograaf Jean Demmeni.
Jean Demmeni werd geboren op Padang Panjang in West-Sumatra als zoon van een Franse vader en een Indo-Europese moeder. Zijn vader diende in het Nederlandsch-Indische leger. Hij vocht in de jaren 1870 in Atjeh en bracht het tot majoor-generaal. In de voetsporen van zijn vader treedt Demmeni ook toe tot het leger in Indië. Hij wordt geplaatst bij de Topografische Dienst in Bandoeng. Naast scherpschutter en landopnemer wordt hij fotograaf.

In 1893/94 gaat Demmeni mee op een eerste tocht door Centraal Borneo met controleur Johann Büttikofer en de onderzoeker A.W. Nieuwenhuis. Hierna volgen twee commissiereizen naar Borneo in 1896 en 1899 onder leiding van Nieuwenhuis. Het doel van de reizen is onder andere het onderzoeken van de politieke verhoudingen in het binnenland van Borneo met het oog op de vestiging van een nieuwe bestuurspost. Jean Demmeni's taak bestaat uit het fotograferen van de Dajaks en hun cultuur, waarbij hij sterk zal leunen op de aanwijzingen van Nieuwenhuis. Nieuwenhuis verricht metingen op 135 Kajans en Dajaks en volgt daarin een door Serrurier, directeur van het museum in Leiden, opgestelde methode voor antropometrisch onderzoek. Op verzoek van Nieuwenhuis maakt Demmeni de bijbehorende antropometrische foto's. Opvallend is overigens wel hoe vrolijk en ontspannen de Kajans er op staan. De voor dit soort foto's zo kenmerkende apathische blik ontbreekt en dat wijst op een relatief gelijkwaardige relatie tussen bevolking en fotograaf.
Beide commissiereizen duren meer dan een jaar. De expeditieleden verblijven lange tijd op dezelfde plekken, waardoor ze in staat zijn om de plaatselijke machtsverhoudingen in te schatten en die kennis te gebruiken voor het leggen van nieuwe contacten en het vermijden van vijandelijkheden.
Nieuwenhuis leert de taal en slaagt erin om het vertrouwen van een aantal Dajakstammen te winnen. Hij wordt daarom wel gezien als de eerste Nederlandse onderzoeker die aan participerend onderzoek doet.
Nieuwenhuis publiceert zijn onderzoeksresultaten in 1900 in twee delen met de titel *In Centraal Borneo. Reis van Pontianak naar Samarinde* met daarin 119 foto's van Demmeni. In het uitwerken van zijn eigen antropometri-

Expeditions to Central Borneo with A.W. Nieuwenhuis in 1896 and 1899

Thousands of pupils in Dutch secondary schools have seen educational prints from the series Platen van Nederlandsch Oost- en West Indie, *published by Kleynenberg & Co. in Haarlem between 1911 and 1913.*
The series consists of 171 large wall-hung pictures, beautifully printed from black and white photographs. They hung in classrooms until the 1940s. A number of the photographs were made by photographer Jean Demmeni.
Jean Demmeni was born at Padang-Panjang in West Sumatra, son of a French father and Indo-European mother. His father served in the Dutch East Indian army. He fought in the 1870s in Aceh, rising to the rank of Major-General. Following his father's footsteps, Jean Demmeni also entered the army in the East Indies. He was assigned to the Topographic Service in Bandung.
In addition to his talents as a marksman and a surveyor, he was also a photographer.

In 1893/94 Demmeni accompanied administrator Johann Büttikofer and the researcher A.W. Nieuwenhuis on the first expedition to central Borneo. Two more government sponsored expeditions to Borneo followed in 1896 and 1899. One of the aims of these expeditions was to research political relationships in the interior of Borneo, with the intention of establishing a new administrative post there.
Jean Demmeni's task consisted of photographing the Dayaks and their culture, a function in which he was strongly dependent on instructions from Nieuwenhuis. Nieuwenhuis measured 135 Kayans and Dayaks, following the procedure for anthropometric research laid down by Serrurier, Director of the Museum in Leiden. At Nieuwenhuis's request, Demmeni made the accompanying anthropometric photographs. It is striking how happy and relaxed the Kayans appear as they stand there. The sort of apathetic look so characteristic of photographs of this kind is missing from these photographs, indicating a relatively equal relationship between the photographer and his subjects.
Both the 1896 and 1899 expeditions lasted over a year. The expedition members stayed in one location for an extended period, allowing them to make an estimate of the local power relationships, and to use this information to make new contacts and avoid hostilities. Nieuwenhuis learned the language and succeeded in winning the trust of a number of the Dayak tribes. He is therefore regarded as the first Dutch researcher to engage in participant observation.
In 1900 Nieuwenhuis published his research results in two volumes entitled In Centraal Borneo.

Reis van Pontianak naar Samarinde, *including 119 of Demmeni's photographs.*

On the whole, Nieuwenhuis was not all that interested in elaborating his own anthropometric data; he was a medical doctor with considerable ethnographic interests, but not a physical anthropologist.

Dr. J. Kohlbrugge took up the task several years later and published some conclusions on the racial characteristics of these groups in central Borneo, again including a number of Demmeni's anthropometric photographs. This working-out of Nieuwenhuis's measurements demonstrates that racial research does not always have to be congruent with racism. Kohlbrugge nuanced the measurements by not considering them as racial characteristics but as results of natural circumstances. For instance, for Kohlbrugge the greater distance between the toes (as compared to whites) among the Kayans did not mean they were closer to the apes, but that the wearing of shoes through the centuries has changed the position of the toes.

Demmeni also made many other photographs in Borneo, undoubtedly to the satisfaction of Nieuwenhuis, who saw anthropometry as a necessary obligation rather than as a most interesting research task. From a comparison of the two series it appears that during the second expedition (1899-1900) Demmeni worked closer to his subjects than he did during the first (1896-1897). The portraits are more personal, the shots sharper and more varied and the distance smaller.

These commissioned expeditions were for Demmeni the run up to a life of much travel and many photographic assignments. He crisscrossed the Indonesian archipelago and New Guinea to make pictures of as much of the land and population as possible. Until Indonesia's independence his photographs were widely distributed in the Netherlands, not only in educational materials but also through various magazines and touristic publications.

Bibliography

A.W. Nieuwenhuis: In Centraal Borneo. Reis van Pontianak naar Samarinde. *Leiden, 1900 (2 vol.).*

A.W. Nieuwenhuis: Quer durch Borneo *(1904)*

Dr. A.W. Nieuwenhuis: Anthropometrische Untersuchungen bei den Dajak. bearbeitet durch Dr. J.H.F. Kohlbrugge. Mit drei Tafeln und einer Karte. *Mitteilungen aus dem Niederl. Reichsmuseum für Völkerkunde. Haarlem, H. Kleinmann & Co, 1903.*

Platen van Nederlandsch Oost- en West Indie *(1911): Published by Kleynenberg & Co., Haarlem.*

See also: Handleiding ten gebruike bij de Platen van Nederlandsch Oost en West Indie. *Kleynenberg, Boissevain & Co. vol. 1(1912) vol. 2 (1913).*

Indie in Beeld. *ANWB publication (1911)*

Indonesia. Images from the past. *Photographs: Jean Demmeni. Times Editions, Singapore 1987.*

Toward Independence. A Century of Indonesia Photographed. *Ed. Jane Reed. San Francisco, 1991*

sche gegevens is Nieuwenhuis overigens niet zo geïnteresseerd: hij is een arts met grote etnografische belangstelling, maar geen fysisch antropoloog. Dr. J. Kohlbrugge neemt die taak enige jaren later op zich en publiceert enkele conclusies over de raskenmerken van deze bevolkingsgroepen in Centraal Borneo, met daarbij een aantal van Demmeni's antropometrische foto's.

Uit deze uitwerking van Nieuwenhuis' metingen blijkt overigens dat rassenonderzoek niet altijd samenvalt met racisme. Kohlbrugge relativeert de metingen door deze niet als raskenmerken te bestempelen maar als resultaten van natuurlijke omstandigheden. Zo betekent voor Kohlbrugge de – vergeleken bij blanken – grotere afstand tussen de tenen van de Kajans niet dat zij daardoor dichter bij de apen staan, maar dat het dragen van schoenen door de eeuwen heen de stand van de tenen kan veranderen.

Demmeni maakt ook vele andere foto's in Borneo, ongetwijfeld tot genoegen van Nieuwenhuis, die de antropometrie meer als een verplicht nummer dan als een belangwekkende tak van onderzoek ziet. Uit een vergelijking van de twee series blijkt dat Demmeni tijdens de tweede reis (1899-1900) dichter op zijn onderwerpen zit dan tijdens de eerste reis (1896-1897). De portretten zijn persoonlijker, de opnamen scherper en gevarieerder, de afstand kleiner.

De commissiereizen zijn voor Demmeni de aanloop naar een leven van veel reizen en fotograferen. De hele Indonesische archipel en Nieuw-Guinea worden door hem doorkruist om zoveel mogelijk van land en bevolking in beeld te brengen.

Zijn foto's zijn tot de onafhankelijkheid van Indonesië op grote schaal in Nederland verspreid – niet alleen met de schoolplaten, maar ook via diverse tijdschriften en toeristische uitgaven.

Bibliografie

A.W. Nieuwenhuis: *In Centraal Borneo. Reis van Pontianak naar Samarinde. Leiden*, 1900 (2 dln).

A.W. Nieuwenhuis: *Quer durch Borneo* (1904)

Dr.A.W. Nieuwenhuis: Anthropometrische Untersuchungen bei den Dajak. bearbeitet durch Dr.J.H.F. Kohlbrugge. Mit drei Tafeln und einer Karte. Mitteilungen aus dem Niederl. Reichsmuseum für Völkerkunde. Haarlem, H. Kleinmann & Co, 1903.

Platen van Nederlandsch Oost- en West Indie (1911): Uitgave van Kleynenberg&Co, Haarlem. Zie ook: *Handleiding ten gebruike bij de Platen van Nederlandsch Oost en West Indie*. Uitg. Kleynenberg, Boissevain & Co. dl. 1 (1912) dl. 2 (1913).

Indie in Beeld. ANWB uitgave (1911)

Indonesia. Images from the past. Photographs: Jean Demmeni. Times Editions, Singapore 1987.

Toward Independence. A Century of Indonesia Photographed. Samenst. Jane Reed. San Francisco, 1991

'Rotsblok op een rolsteenbank in den Tjehan, zuidelijke bijrivier van de Mahakam. Aan de bovenzijde spiralen en andere figuren ingebeiteld door stammen, welke voor eeuwen den Boven-Mahakam bewoonden. Op den achtergrond Kwing Irang en de zijnen, die dezen steen vreezen als woonplaats van een boozen geest.' Centraal Borneo, November 1896

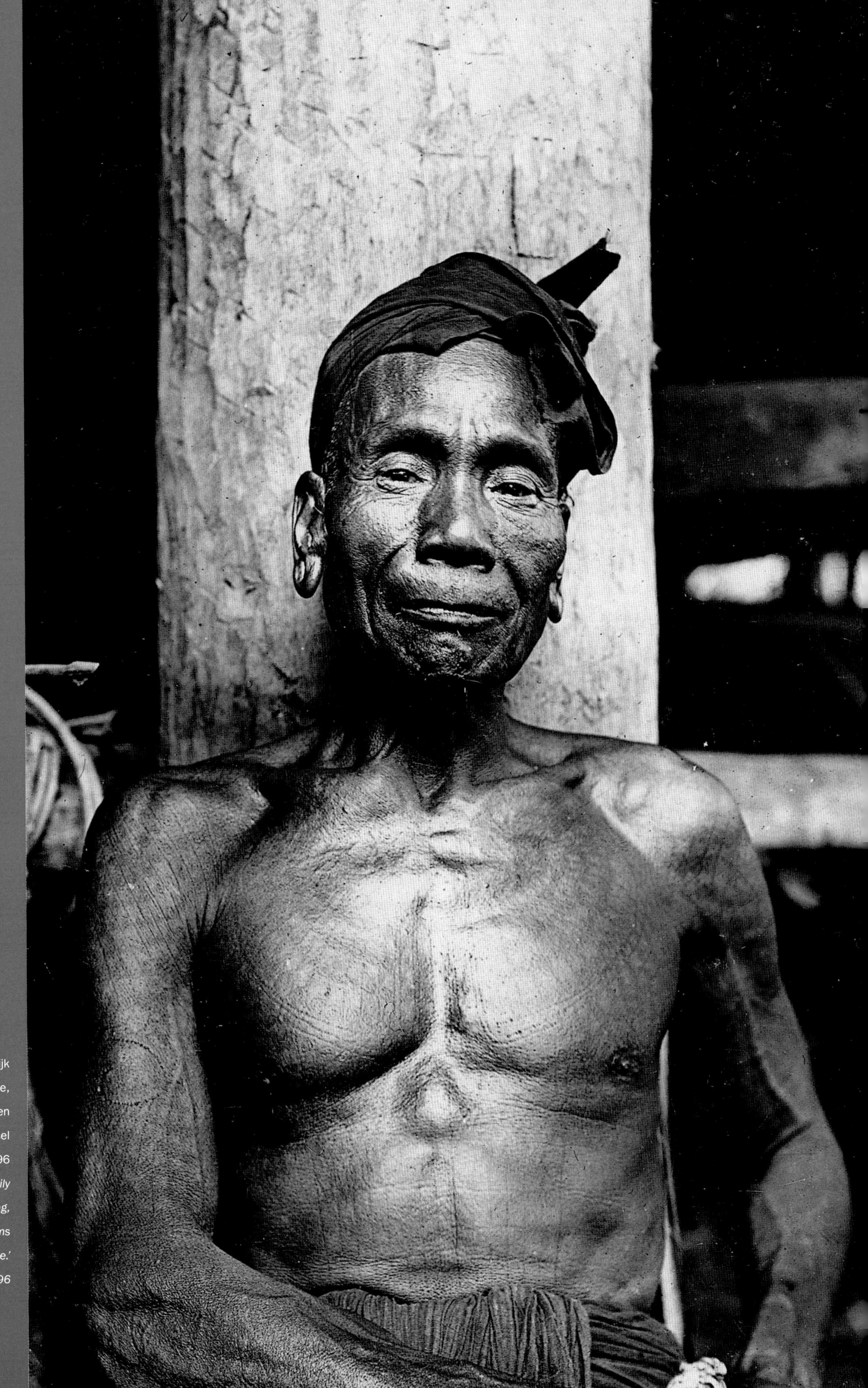

'Sawang Kalong, een Dajak, die tijdelijk onder de Kajan leefde. Zijn sterke, uitgebreide tatouëering op borst en armen is alleen als lidteeken weefsel te zien'. Centraal Borneo 1896

'Sawang Kalong, a Dayak, temporarily living among the Kayan. The strong, extensive tattooing on his chest and arms can only be seen as scar tissue.' Central Borneo, 1896

'Hoogtesprong van een Longglat
zijn polsstok meevoerende'.
Centraal Borneo, tussen 1898-1900
*'High jump carried out by a Longglat
with his jumping pole'.
Central Borneo, between 1898 and 1900*

'Gezicht vanuit ons kampement aan de monding van den Mensikai'. Centraal Borneo, Juli 1896

'View from our encampment at the mouth of the Mensikai'. Central Borneo, July, 1896

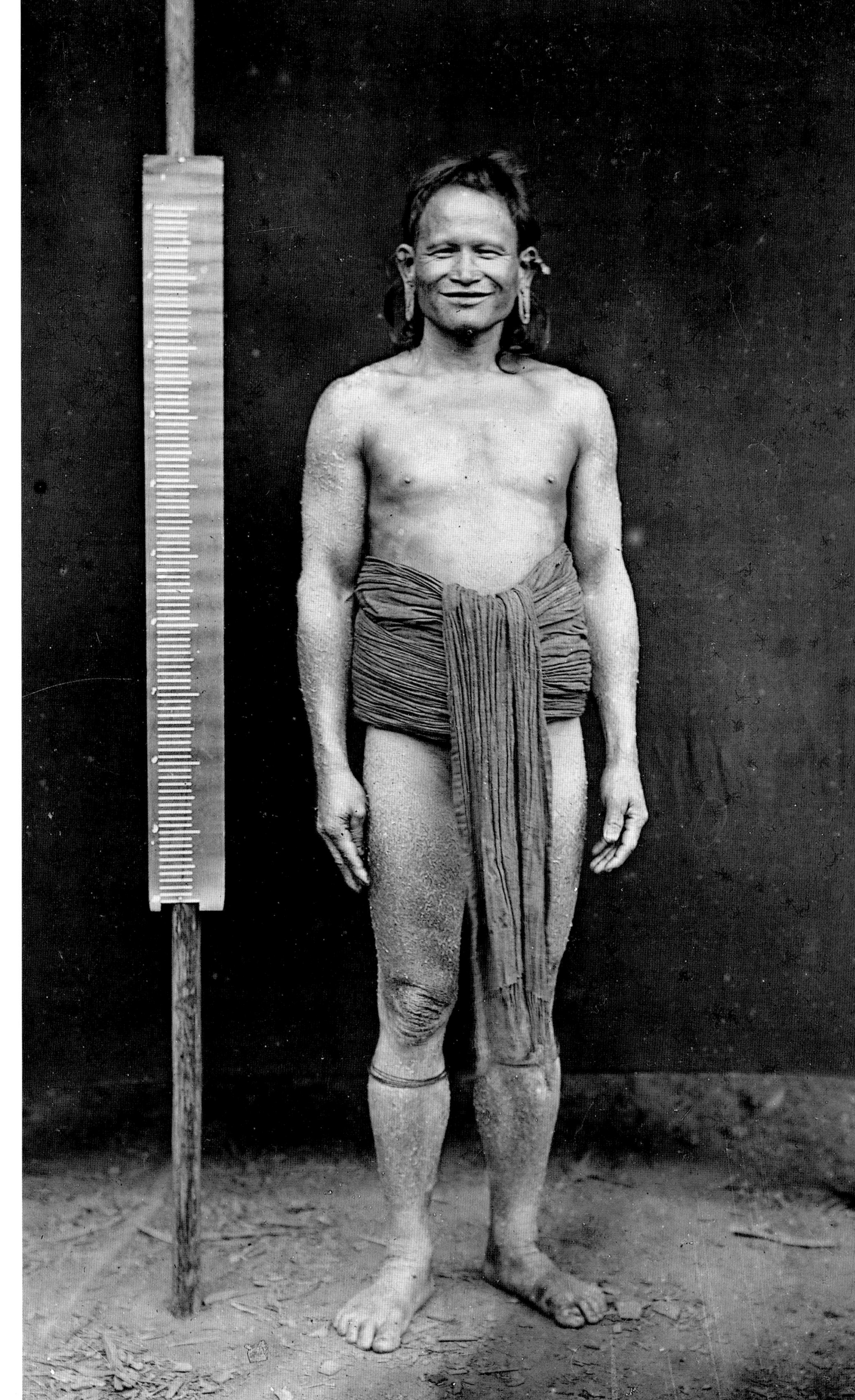

'Hoofd der Pnihing's van Long Kup.'

Centraal Borneo, 1899

'Chief of the Pnihings of Long Kup.'

Central Borneo, 1899

'Groot beeld voor het verschrikken der geesten der Kenja's van de Apo Kajan. Vrouw met typische kleederdracht.' Centraal Borneo, tussen 1898 – 1900

'Large sculpture for scaring away evil spirits among the Kenjas of the Apo Kayan. Woman in typical traditional costume.' Central Borneo, between 1898 and 1900

Door/*By* **Nol Wentholt**

G.M. Versteeg

(1876 - 1943)

De Tapanahoni-expeditie naar het binnenland van Suriname in 1904

Suriname is in 1900 nog maar voor tien procent in kaart gebracht. Het binnenland is nog vrijwel geheel onbekend terrein. De Vereniging voor Suriname initieert daarom een aantal expedities. In 1904 vertrekt de vierde onderzoekstocht naar het stroombekken van de Tapanahoni-rivier; de opdracht is een verband te leggen met de voorgaande expedities en via een landtocht over het zuidelijk scheidingsgebergte de oorsprong van de Surinamerivier te karteren. De leider en eerste topograaf is A. Franssen Herderschee, C.H. de Goeje is tweede topograaf en belast met het verzamelen van indiaanse etnografica, G.M. Versteeg, arts in opleiding, is verantwoordelijk voor de botanische en zoölogische collecties.

Niet eerder is een tocht zo diep het binnenland ingetrokken en onderweg moeten vele riviervallen en stroomversnellingen, die het opvaren van de rivieren zo berucht maakten, overwonnen worden. Om de langs de benedenstromen gelegen rotsmassieven te bereiken voor topografische metingen worden kleine landtochten gemaakt door ondoordringbaar ogende oerwouden met reusachtige palmen en dicht struweel. Versteeg getuigt hiervan in zijn fotoverslag.

Deze foto's vormen een prachtige illustratie bij het officiële verslag van Franssen Herderschee[1]. Minder bekend is dat Versteeg over deze tocht zelf ook een relaas geschreven heeft[2]. Dit verschaft ons een middel om de ervaringswereld van de fotograaf te volgen. Opvallend is dat hij in zijn verhaal veel plaats inruimt voor de lokale bosnegercultuur, de Djoeka's, die langs de oevers van de Tapanahoni wonen. Al in een vroeg stadium blijkt dat de medewerking van deze Marrons (bosnegers) gering is. Na aankomst in Paramaribo, op 18 juni, vertrekt het gezelschap bestaande uit 26 creolen en twee indianen, een blanke opzichter en tevens tolk voor de onderhandelingen met de Marrons, enkele weken later naar Albina, gelegen aan de linkeroever van de Marowijne. Hier vinden de moeizame onderhandelingen met vertegenwoordigers van de Djoeka's plaats. Voor het opvaren van de vracht is de toestemming en medewerking van de plaatselijke bevolking nodig, aangezien zij alleen de rivier kennen. Na veel *kroetoes* (vergaderingen) wordt men het uiteindelijk eens over de prijs voor het opvoeren van de vracht tot Drietabbetje. Dit is de plaats waar de hoofdman van de Djoeka's, de granman, resideert.

Deze granman heeft geprobeerd de tocht op te houden door een brief te

The Tapanahoni expedition to the interior of Surinam in 1904

Only ten percent of Surinam had been charted by 1900. The interior was almost entirely unexplored territory. To remedy this the Association for Surinam initiated a number of expeditions. In 1904 the fourth expedition departed for the headwaters of the Tapanahoni River; their assignment was to link up the work of previous expeditions and, through a land expedition across the mountains which formed the watershed, to map the source of the Surinam River.

The leader and first topographer was A. Franssen Herderschee; C.H. de Goeje was second topographer and responsible for collecting Indian ethnographica, and G.M. Versteeg, a medical student, was responsible for the botanical and zoological collections.

Never before had an expedition reached so far into the interior, and on their way they would have to overcome many waterfalls and rapids, which made travelling up river by boat notorious. To reach the rocky ridges along the riverbank to perform topographical measurements, smaller land journeys would have to be made through seemingly impenetrable tropical jungles with gigantic palms and thick scrub. Versteeg bears witness to this in his photographic report.

These photographs splendidly illustrate the official report by Franssen Herderschee[1]. It is less well known that Versteeg himself wrote an account[2]. This affords us the opportunity of following the photographer's own experiences. It is striking that at many points in his account he makes room for the culture of the local Bush Negroes, the Djuka, who lived along the banks of the Tapanahoni River. From a very early stage of the expedition it appeared that there would be little cooperation from these Maroons (Bush Negroes). A few weeks after their arrival in Paramaribo on June 18, a company consisting of 26 Creoles, two Indians, and a white supervisor and translator for negotiations with the Maroons left for Albina on the left bank of the Marowijne River. Here the difficult negotiations with the representatives of the Djuka were to take place. The permission and cooperation of the local population was necessary for shipping the supplies up stream, since only they knew the river. After many kroetoes *(meetings) both sides finally reached an agreement about the price for shipping the supplies to Drietabbetje. This was the village where the chief of the Djuka, the granman lived.*

This granman had tried to hold up the expedition by sending a letter to the District Commissioner with the

report that because of illness in the villages, they could not count on cooperation. The expedition would continue to encounter various kinds of opposition in Djuka territory. Versteeg attempted to explain this pettifogging behaviour by saying: 'After the French-Dutch Border Commission [1861] no further expeditions had been undertaken up the Tapanahoni. The ordinary exploitation of balatta [a sort of rubber] and gold fields, which took place everywhere, inspired no fear among the Djuka, especially as these expeditions, not many of which went up the Tapanahoni, never extended above Drietabbetje. But that whites who had come expressly for that purpose from bakrakondree [the country of the bakra, or whites], should penetrate deep in their territory, for reasons that they do not sufficiently comprehend, they felt to be dangerous. Moreover, in 1903 the Gonini River expedition had already pushed deep into their region, a trail was cut from Afivisiti, and four smaller expeditions were busy cutting trails and building houses at various points; then came the expedition by the engineer Gruttelink, and now the Tapanahoni expedition. There were more than enough reasons for the suspicious Djuka to become uneasy.'
On July 11 the expedition departed from Albina. Versteeg sat in a small dugout canoe with an Indian as pilot and a Creole as steersman.
'William always sat at the bow of my boat, so continually affording me the opportunity of admiring his skill in soelarokko, negotiating the rapids, and profiting from his sharp senses, when it came to hunting for animals or plants... Melchior always travelled in the same boat, as steersman. He was of assistance to me in all things, be it the collecting, or be it as interpreter when dispensing dreesie, or medicine, to the Bush Negroes, so that he was generally addressed as ziekenvader' (medical superintendent).
Twelve days after leaving Albina they arrived in Drietabbetje. The purpose of the expedition was explained to Oseesie, the granman, and they requested information about the possibility of an overland expedition to the source of the Surinam river. The cooperation of the granman was necessary for getting the supplies further up stream and for obtaining translators for a possible contact with the Trio Indians. At first he was not prepared to cooperate and gave instructions to the villagers to provide as little information as possible to the lantibakra [government administrators]. The leaders of the expedition responded diplomatically to his reluctance. Thanks to this diplomatic response, after a five day delay there was a breakthrough. Later it would appear that the time was used to send messengers to the Indians telling them that the whites were on their way to kill Indians. In the eyes of the suspicious Djuka, the whites had come to damage their own trading contacts with the Indians. The Maroons would also later try to sabotage the progress up river in various ways. The leadership of the expedition was therefore relieved when the final phases of the journey could be pursued without them.
Along the Paloemeu lay several rocky ridges that were of great importance for the topographic survey. The most important of these, Teboe [Indian for cliff] and Magnetic Ridge, were scaled. Versteeg joined on the ascent of the first of these cliffs and wrote that after a difficult cleared trail the

sturen naar de districtscommissaris met de mededeling dat door ziekte in de dorpen op medewerking niet gerekend hoefde te worden. De expeditie zal verschillende vormen van tegenwerking blijven ondervinden zolang zij zich bevindt in het Djoekagebied. Dit chicaneus gedrag probeert Versteeg als volgt te verklaren. 'Na de Fransch-Hollandsche Grenscommissie [1861] was geen onderzoekingstocht de Tapanahoni op, ondernomen. De gewone exploitatie van balatta [soort rubber] en goudvelden, die overal plaats had, boezemde den Djoeka's geene vrees in, vooral daar die tochten, niet veelvuldig in de Tapanahoni, nooit tot boven Drietabbetje uitgestrekt werden. Maar dat blanken, speciaal uit bakrakondree (blankenland) overkwamen, om zich diep in hun land te begeven, om redenen door hen onvoldoende begrepen, vonden zij gevaarlijk. Bovendien, in 1903 was de Gonini expeditie ver in hun gebied doorgedrongen, was een tracé van Afivisiti gekapt, waren vier kleinere expedities op verschillende punten bezig geweest met tracé's te kappen en huisjes te bouwen; toen kwam de tocht van den Ingenieur Gruttelink en nu weer de Tapanahoni expeditie. Reden te over dus voor de achterdochtige Djoeka's om zich ongerust te maken.'
Op de 11de juli vertrekt de expeditie uit Albina. Versteeg zit in een klein korjaal met een indiaan als loods en een creool als stuurman. 'William zat altijd als voorman in mijn bootje, en zoo was ik telkens in de gelegenheid, om zijn bedrevenheid in het 'Soelarokko', 't werken in de vallen, te bewonderen, en profijt te trekken van zijne scherpe zintuigen, waar het de jacht op dieren of planten betrof. [...] In 't zelfde bootje voer als stuurman Melchior, die mij in alles ter zijde stond, 't zij bij het verzamelen, 't zij als tolk bij 't uitreiken van 'dreesie', medicijnen, aan de boschnegers, zoodat hij dan ook meestal als 'ziekenvader' toegesproken werd.'
Twaalf dagen na vertrek komen zij aan in Drietabbetje. De granman Oseesie wordt uitleg over het doel van de expeditie gegeven en inlichtingen gevraagd over de mogelijkheid van een landtocht naar de oorsprong van de Surinamerivier. De medewerking van de granman is noodzakelijk om de vracht verder stroomopwaarts te voeren en tolken te krijgen voor een eventueel contact met Trio-indianen. In eerste instantie is hij niet bereid zijn medewerking te verlenen en heeft hij de dorpelingen geïnstrueerd zo weinig mogelijk informatie te geven aan de 'lantibakra'(gouvernementsambtenaren). Deze onwilligheid dient van de kant van de expeditieleiding met diplomatie beantwoord te worden. Het is aan deze politiek te danken dat er na vijf dagen oponthoud een doorbraak komt. Later zou blijken dat de tijd benut werd om boodschappers naar de indianen te sturen om hen te vertellen dat blanken in aantocht waren om indianen te vermoorden. In de ogen van de achterdochtige Djoeka's waren de blanken gekomen om hun handelscontacten met de indianen te schaden. De Marrons zouden de voortgang op de rivier ook later op verschillende manieren tegenwerken. De leiding van de expeditie is dan ook opgelucht als de eindetappe van de tocht verder zonder hen kan worden voortgezet.
Langs de Paloemeu liggen enkele rotsmassieven die voor de topografische opname van groot belang zijn. De belangrijkste, de Teboe (indiaans voor rots) en de Magneetrots, worden beklommen. Versteeg maakt de beklimming van de eerste rots mee en schrijft erover dat na een moeizaam gekapt tracé

eindelijk de top in zicht komt en de heuse beklimming van start kan gaan, 'Lang bleven wij even snel stijgen, nu en dan eens even adem scheppend en eenen blik om ons heen slaande. Eindelijk kwam ik wat vooruit, de rots werd gladder en steiler, bosjes van Bromeliaceeën ontbraken maar met eene krachtinspanning, op handen en voeten en van elk puntje gebruikmakend, bereikte ik als eerste 'bakra' den top van den Teeboe. Even ging ik languit liggen, om wat op adem te komen, en toen rondgezien. Het uitzicht was prachtig. De lucht was helder, de verst verwijderde bergen teekenden zich nog scherp boven den horizon af. Onderlangs stroomde de Tapanahoni, hooger op nog tweemaal zichtbaar. Rondom strekte zich, zoover het oog reikte het groene bosch uit, hier en daar met gele, paarse of roode vlekken van bloeiende boomen.'

Ze zijn in indianengebied, maar Versteeg schrijft daar niet over. Evenmin maakt hij van hen foto's, ze lijken een bijkomstigheid. Naar de reden is het gissen. De enkele foto's die hij in zijn verslag afbeeldt waarop indianen staan, zijn afkomstig van De Goeje. Landschap, boten, riviervallen en bosnegerdorpen hebben meer zijn belangstelling.

Het laatste kamp dat ze gezamenlijk doorbrengen is gelegen bij de Papadronval aan de voet van de Kassikassima, een massief van ruim 700 meter hoogte. Na de kartering van de omliggende streken, splitst de expeditie zich op. Het is dan 1 oktober. De Goeje gaat langs de Paloemeu verder en brengt bezoeken aan indianendorpen en bereikt via een landtocht over het zuidelijk scheidingsgebergte de oorsprong van de Paroe in Brazilië.

Versteeg en Franssen Herderschee bevaren de Boven-Tapanahoni alvorens ze de terugtocht aanvaarden. Ze doen dan – evenals op de heenreis – het dorp Granbori aan van de bij granman Oseesie in Drietabbetje in ongenade gevallen kapitein Arabi. In het verslag van Franssen Herderschee lezen we over hem, 'Arabi ontving ons zeer minzaam en in tegenstelling met zijne houding tijdens de heenreis, toen hij algeheele onwetendheid omtrent de rivier voorwendde, deelde hij ons nu mede, dikwerf aan de Paroe[3] te zijn geweest. [...] Voor de afreis begaf ik me naar de woning van Arabi om afscheid van hem te nemen en was niet weinig verwonderd toen hij in vol ornaat, in een oude officiersjas met epauletten, met een witte pantalon en schoenen aan en met een steek op, te voorschijn kwam. De Oranje-kokarde afkomstig van de kroningsfeesten [Wilhelmina 1898], sierde zijn borst, terwijl de halvemaanvormige zilveren plaat aan eene ketting om den hals hing.'

Zo is hij tussen Franssen Herderschee en Versteeg in gezeten op de plaat vastgelegd.

Op 9 november doen ze Drietabbetje aan en verzuimen dit keer niet de granman voortijdig via een boodschapper van hun komst op de hoogte te brengen. Dit keer verwelkomt een menigte van naar schatting vijfhonderd in bonte kleding uitgedoste Djoeka's de Nederlanders, die met hun versleten plunje smoezelig afsteken bij dit veelkleurige gezelschap. Bij aankomst blijkt dat een bloedverwant van de granman is overleden en dat voor die gelegenheid een groot meerdaags 'feest' is georganiseerd. Versteeg haalt een herinnering op aan een begrafenisritueel tijdens de voorgaande expeditie waar een lijk reeds vijf dagen boven de grond in het centrum van het dorp was opgebaard en een ondragelijke lucht verspreidde. Dit keer ligt het lijk al onder de

summit ultimately comes into sight, and the real ascent could begin. 'For a long while we continued to climb quickly, pausing now and then to get our breath back and take a look around us. At last I got somewhat further ahead, the rocks became smoother and steeper, the clumps of Bromeliaceae vanished, but with a final effort, on all fours and making use of every small handhold, I was the first 'bakra' to reach the top of Teboe. I lay flat on my back for a few moments to catch my breath, and then looked around. The view was magnificent. The air was clear, the most distant mountains showed clearly on the horizon. Beneath ran the Tapanahoni, visible two times again further up stream. Around me, as far as the eye could see, stretched the green jungle, with here and there yellow, purple or red flecks from flowering trees.'

They were in Indian territory, but Versteeg does not write of them. Nor did he take any photographs of them; they seem to be incidental. We are left guessing at the reason. The several photographs that appear in his account on which Indians are to be seen are by De Goeje. Landscapes, boats, waterfalls and the villages of the Bush Negroes were of more interest to him.

The last camp that they occupied together lay near the Papadron falls, at the foot of Kassikassima, a massif over 700 metres high. After mapping the surrounding areas, the expedition split up. It was October 1. De Goeje proceeded further along the Paloemeu visiting Indian villages, eventually crossing the mountainous southern watershed into Brazil to reach the source of the Paru River. Versteeg and Franssen Herderschee continued along the Upper Tapanahoni before they returned downstream. On the descent they visited the village of Granbori – as they had done on their ascent – home of Captain Arabi, who had fallen from granman Oseesie's grace in Drietabbetje. Franssen Herderschee's reports: 'Arabi received us very affably, in contrast to his attitude during our ascent of the river when he pretended total ignorance regarding the stream, now informing us that he had often been on the Paru[3]... Before our departure I went to Arabi's dwelling to say farewell to him, and was not a little stunned when he appeared in full dress, wearing an old officer's jacket with epaulettes, white pantaloons and shoes and a tricorne. The Orange cockade, dating from the Queen's coronation [Wilhelmina, 1898] decorated his chest, while the crescent shaped silver plate hung from a chain around his neck.' He was recorded on a glass plate in this dress, seated between Franssen Herderschee and Versteeg.

On November 9 they called in at Drietabbetje and this time did not fail to inform the granman ahead of time via a messenger of their arrival. On this occasion they were welcomed by a crowd of an estimated 500 Djuka dressed up in brightly hued clothing, leaving the Dutch in their worn outfits standing out grubbily against the colourful company. On their arrival it appeared that a blood relative of the granman had died and that a great celebration lasting several days had been organised for the occasion. For Versteeg it recalled a funeral ritual during a previous expedition where the body had lain in state already for five days in the centre of the village, giving off an unbearable stench. This time the body had already been

buried and they were witnesses to the last days of the party bustle with wild dancing and vivacious feasting. This hospitable welcome was a worthy conclusion to the difficult cooperation with the Bush Negroes. Two guides were put at their disposal for the last stage down stream to Albina. Versteeg closes his account with the following remark: 'However, they show their best side on the river. With what ease they move through the falls and rapids in their slender dugouts or heavy freight boats! Even the women are very skilled at this and it is no exception to see the paddle laid aside for a moment, even in the midst of a rapid, to correct an unruly child.'
The expedition had lasted nearly five months. Once again a part of Surinam had been opened up scientifically. Three expeditions had preceded this one, and four more were to follow.

Versteeg left behind a photographic archive from this expedition consisting of 180 glass plate negatives and a photographic album with prints of his plates, supplemented by photographs made by De Goeje. This collection is in the National Museum of Ethnology and depicts their progress along the Marowijne and Tapanahoni Rivers, the latter's various branches deep in the interior, the Upper Tapanahoni and the Paloemeu.
G.M. Versteeg was born in Zeist in 1876, the son of a contractor. When he joined the scientific expedition to the Gonini River in Surinam in 1903 he was a medical student, probably on a government scholarship because after his national examination he went out to the former Dutch East Indies in 1905 with the Royal Dutch East-Indian Army as a Medical Officer. There he also was part of two expeditions to New Guinea, the first to the southern part of that island in 1907, under the leadership of H.A. Lorentz, and the second in 1912-1913 under the leadership of A. Franssen Herderschee, both to Wilhelmina Peak. In addition to medical care he was also responsible in part for the photographic reportage. The photographs which he made show many similarities in terms of composition with those he made on his two Surinam expeditions; the hand of a consummate photographer is unmistakably present.
Professional photography appears to have played no important role in his further career but did serve him well once again when he was assigned to disease control in the area of Semarang, North Java, in the years 1919-1923. A photographic album that he assembled on that occasion serves as a visual report of that battle.
He spent the final years of his life as a medical administrator with the Central Bureau for Statistics in The Hague. He died in 1943.

grond en maken ze de laatste dagen van het feestgewoel mee met wilde dansen en bonte eetpartijen.
Na een moeizame samenwerking met de bosnegers is dit gastvrij onthaal een waardige afsluiting. Twee gidsen worden hun ter hand gesteld voor de laatste etappe stroomafwaarts richting Albina.
Versteeg besluit zijn verslag met de volgende opmerking, 'Van hunne beste zijde vertoonen zij zich evenwel op de rivier. Met welk een gemak bewegen zij zich in hunne ranke corjaaltjes of zware vrachtbooten over vallen en versnellingen! Zelfs de vrouwen hebben hierin eene groote handigheid en het is geen uitzondering, dat de parel [peddel], midden in eene versnelling, een oogenblik neergelegd wordt, om een ongehoorzaam kind te recht te wijzen.'
Bijna vijf maanden heeft de expeditie geduurd. Weer is een deel van Suriname wetenschappelijk opengelegd. Drie expedities waren aan deze voorafgegaan, vier zouden er nog volgen.

Van deze expeditie liet Versteeg een fotoarchief na, bestaande uit 180 glasplaatnegatieven en een fotoalbum met afdrukken van zijn platen, aangevuld met foto's die de Goeje maakte. Deze collectie bevindt zich in het Rijksmuseum voor Volkenkunde en visualiseert de voortgang over de rivieren Marowijne, Tapanahoni en de diep in het binnenland gelegen vertakkingen van die rivier, de Boven-Tapanahoni en de Paloemeu.
G.M. Versteeg werd in 1876 te Zeist geboren als zoon van een aannemer. Wanneer hij in 1903 toegevoegd wordt aan de wetenschappelijke tocht naar de Gonini-rivier in Suriname is hij arts in opleiding, vermoedelijk met een overheidsbeurs studerend, want na zijn staatsexamen gaat hij in 1905 als KNIL-officier van Gezondheid naar het voormalig Nederlands-Indië. Ook hier is hij bij twee expedities naar Nieuw-Guinea present, de eerste naar Zuid Nieuw-Guinea onder leiding van H.A. Lorentz in 1907, de tweede in 1912-1913 onder leiding van A. Franssen Herderschee, beide naar de Wilhelmina-top. Naast de medische zorg is hij medeverantwoordelijk voor de fotografische verslaglegging. De foto's die hij hier maakt vertonen qua compositie veel overeenkomst met die van de twee Suriname-tochten; de hand van een volleerd fotograaf is onmiskenbaar aanwezig.
De professionele fotografie lijkt in zijn verdere carrière geen belangrijke rol meer te hebben gehad maar komt nog eenmaal van pas als hij gedetacheerd wordt bij de pestbestrijding in de omgeving van Semarang, Noord-Java, in de jaren 1919-1923. Een fotoalbum dat voor die gelegenheid door hem is samengesteld vormt een visueel verslag van die bestrijding.
De laatste jaren van zijn leven is hij als medisch ambtenaar verbonden aan het Centraal Bureau voor Statistiek in Den Haag. Hier sterft hij in 1943.

'De jonge boschneger Alexander danst en Pate bespeelt de harmonica.'

'The young Bush Negro Alexander dances while Pate plays the harmonica.'

‘Bestond een ‘soela’ uit een aaneenschakeling van valletjes en versnellingen, dan was het mogelijk de geladen booten over te brengen. De voorman duwde met eenen langen boomstam het bootje in den bruisenden stroom vooruit; de stuurman had slechts te zorgen, dat de boot niet dwars kwam. Meter voor meter werd de boot vooruit gestooten. [...] De boschnegers zijn in de vallen in hun element; prachtig is het om te zien, hoe zo’n man eene zwaar geladen boot tegen den enormen stroom opdrijft.’ Paloemeu-rivier, 16 september.

'If a soela consisted of a chain of falls and rapids, then it was possible to bring the loaded boats through. The man in the bow pushed the boat forward in the boiling water with a long tree trunk; the steersman had only to take care that the boat did not come across the stream. Metre by metre the boat is nudged ahead... The Bush Negroes are in their element in the falls; it is splendid to see how such a man forces a heavily laden boot forward against that enormous current.' Paloemeu River, September 16

'In de meer onbewoonde streken moest een kamp gemaakt worden. [...] Wij gingen gewapend met onzen houwer aan wal en bepaalden de plaats voor de hangmatten en de tafel. [...] Eerste werd het dekzeil met twee touwen tusschen twee boomen bevestigd en door eenige zijlijntjes dakvormig uitgespannen. Daarna werd aan dezelfde hoofdboomen de hangmat vastgebonden en het muskietennet met eenige touwtjes aan het dekzeil opgehangen. Zoo hing de hangmat geheel los van het muskietennet...Vervolgens werd de veldtafel opgezet en de lamp eene plaats gegeven en een half uur, na het aan wal gaan, was het kamp geheel ingericht en genooten wij eene groote mok thee, die de bedrijvige kok dan reeds gereed had.' Kamp 52 langs de Boven-Tapanahoni, 17 oktober

'In less populated areas a camp must be made... We land on the bank armed with our machetes and decide where the hammocks and table should go... First the tarpaulin is hung between two trees with two ropes and with side ropes stretched to form a roof. Then the hammock is tied to the same two main trees and the mosquito net hung from the tarpaulin with small ropes. In this way the hammock was entirely free of the mosquito net... Then the camp table is set up and a place found for the lamp, and a half hour after we stepped ashore the camp is entirely ready, and we can enjoy a mug of tea, which our industrious cook already had prepared.' Camp 52, along the Upper Tapanahoni, October 17

'Arabi, een Grankapitein, die op Granbori, zijnen kostgrond of 'boiti' vertoefde. Tot voor korten

Het Marrondorp Afivisiti, 8 november. (Hier vrijwel verlaten omdat de bewoners zich op hun kostgronden bevinden. Hier verblijven Versteeg en Franssen Herderschee een dag en sturen ze een boodschapper om de granman Oseesie in Drietabbetje te verwittigen van hun komst de volgende dag.)

The Maroon village of Afivisiti, November 8. (Here almost abandoned because the residents are on their smallholdings. Versteeg and Franssen Herderschee remained here a day, sending a messenger to inform the granman Oseesie in Drietabbetje of their arrival the following day.)

Antoine Sevruguin

(ca.1840 - 1933)

Russisch fotograaf in Iran van 1870-1933

Antoine Sevruguin werd geboren in de Russische ambassade van Teheran als zoon van een Armeense moeder en een Russische vader in diplomatieke dienst. Als Antoine's vader gestorven is, wordt het leven van zijn moeder als Armeense in Iran onmogelijk gemaakt en verhuist ze met haar jonge kinderen naar Tbilisi, de huidige hoofdstad van Georgië. Daar volgt Antoine Sevruguin een opleiding tot beeldend kunstenaar en raakt hij in de ban van de westerse schilderkunst; met name het werk van Rembrandt maakt grote indruk op hem. Zijn leven lang zal hij ook geïnteresseerd blijven in de Perzische schilderkunst.

Onder invloed van fotograaf Dmitri Ermakov die op dat moment ook in Tbilisi woont, besluit hij fotograaf te worden. Met twee van zijn broers keert Antoine in 1870 per karavaan terug naar zijn geboorteplaats Teheran. Onderweg fotografeert hij landschappen en de mensen die ze onderweg ontmoeten. In Teheran vestigt hij met zijn broers een fotostudio. Antoine is de fotograaf, zijn broers zorgen voor de zakelijke afwikkelingen. Al snel krijgt de zaak een zeer goede reputatie, klanten uit binnen- en buitenland kopen foto's of laten ze maken.

In de ogen van de Iraniërs is hij een westerling. Alles wat Russisch is wordt in deze tijd in Iran met het Westen geassocieerd. Maar westerlingen die hem in Teheran in zijn fotostudio bezoeken zien in hem een echte oosterse fotograaf.

Vroege toeristen kopen foto's voor hun reisalbums. Naast Italië en Egypte is ook Iran door zijn archeologische monumenten opgenomen in de 'grand tour' die welgestelde Europese jongeren maken als onderdeel van hun opvoeding. Naast foto's van monumenten biedt hij foto's aan van uiteenlopende groepen en mensen die de omgeving bevolken. Hij nodigt Armeniërs, Koerden, joden, en bevolkingsgroepen uit verschillende sociale lagen in zijn studio uit om voor hem te poseren. De personages spelen vaak een actieve rol in het beeld: door hun houding en expressie zijn het meer acteurs dan willoze slachtoffers van een commercieel fotograaf. Derwisjen behoren tot zijn favoriete personages. Deze zeer religieuze moslims die voor een arm en zwervend bestaan kiezen, zouden met hun devote blik, sobere kleding, lange haren en baarden zo weggelopen kunnen zijn uit de bijbelse schilderijen van Rembrandt.

Voor foto's met meer suggestie van couleur locale gebruikt hij het militaire oefenterrein vlak naast zijn huis of de binnenplaats van zijn huis. Aan de westerse, erotische fantasieën over oosterse vrouwen komt hij tegemoet met foto's van naakte en halfnaakte vrouwen in haremscènes.

Russian photographer in Iran 1870-1933

Antoine Sevruguin was born in the Russian embassy in Teheran as the son of an Armenian mother and Russian father in diplomatic service. When Antoine's father died, life became impossible for his mother as an Armenian in Iran, and she moved with her three young children to Tbilisi, the present capital of Georgia. There Antoine was trained as a visual artist, and fell under the spell of Western painting; particularly the work of Rembrandt made a deep impression on him. Throughout his life he would also remain interested in Persian painting.

Under the influence of the photographer Dmitri Ermakov, who at that point was living in Tbilisi, he decided to become a photographer. With two of his brothers, in 1870 Antoine returned by caravan to his birthplace Teheran. En route he photographed landscapes and the people he encountered. Once in Teheran he established a photography studio with his two brothers. Antoine was the photographer, while his brothers took care of the business aspects. Very quickly the firm acquired a very good reputation and clients came from all over Iran and abroad to have their photographs taken or buy photographs.

In the eyes of the Iranians he was a Westerner. All that was Russian was in Iran at that time associated with the West. But Westerners who visited him in his photo studio in Teheran saw him as a real Eastern photographer.

Early tourists bought photographs for their travel albums. In addition to Italy and Egypt, because of its archaeological monuments, Iran was also included in the 'grand tour' well-heeled European young people made as part of their education. As well as photographs of the monuments, he sold pictures of diverse groups and people from the surrounding population. He invited Armenians, Kurds, Jews and people from the various social strata to his studio to pose for him. The subjects often play a very active role in the images; through their poses and expressions they are more actors than unwilling victims of a commercial photographer. Dervishes were among his favourite subjects. With their reverent appearance, austere clothing and long hair and beards, these devout Muslims who had opted for a wandering existence could have walked out of a Biblical painting by Rembrandt.

He used a local military drill field next door to his home or the inner courtyard of his own house for photographs to suggest a more local colour. To fulfil Western erotic fantasies about Eastern women he also produced photographs of nude and partly nude women in harem scenes. Yet we would not be doing justice to

Sevruguin if we were to label him as a photographer chiefly oriented on commercial interests. He was the first photographer in Iran who could live from his photography, but the way in which he photographed many groups in the population on location, outside the studio bears witness to his interest and involvement in the country and culture of Iran. Sevruguin also travelled around the country to make a visual catalogue of different ethnic groups, landscapes and everyday life of Iran. This ethnographic aspect of his work did not go unnoticed. Anthropologists bought his photographs, and they were to be seen at the World Exhibitions at Brussels (1897) and Paris (1900), regularly winning prizes. Although Sevruguin was a celebrated photographer in Teheran[1], he remained largely unknown in Europe. Many of his photographs purchased by Europeans were published in scientific or quasi-scientific publications, but the photographer's name did not accompany them – something which aggravated Sevruguin considerably, although it was a fate which befell many photographers in his day. Dr. C.H. Stratz also used Sevruguin's photographs in his Die Rassenschönheit des Weibes *without giving him credit. He did note the source for the photographs, though: they were borrowed from the Museum in Leiden.*

It is known that Sevruguin made more than 7000 images, on glass plates. Not much remains of his collection. In 1908 Iran entered a constitutional crisis. Soldiers of Muhammed Ali Shah set the houses of opponents aflame and plundered their belongings. Sevruguin's neighbour was a wanted man, his home was destroyed - and part of Sevruguin's with it. Sevruguin's archive suffered major damage; with difficulty 2000 glass plates were saved. He scarcely recovered from this emotional and financial blow. After Reza Shah came to power in 1925 Sevruguin had to endure a new attack. The Shah wanted to modernise the country and therefore felt it necessary to destroy everything that did not fit with the image of modernity. The remaining collection of glass plates was seized. Apparently it was Sevruguin's daughter Mary who, through her connections, succeeded in obtaining the return of 696 of them. After Sevruguin's death she presented these to the American Presbyterian Mission in Teheran, and ultimately they ended up in the Smithsonian Institution in Washington, D.C., in the archive of the Arthur M. Sackler Gallery. This is the largest Sevruguin collection that remains. In addition to several dozen prints in the National Anthropological Archives at the Smithsonian, as far as is known work by Sevruguin is found only in the Netherlands: in the collection of the University of Leiden, and over 170 glass plates and prints in the National Museum of Ethnology in Leiden.
In the Museum's annual report for 1899/1900, under 'Acquisitions' there is mention of 'A large collection of very instructive photographs of landscape views and natives from various sections of Persia. Long-term loan from Mr. W.L. Bosschart, Consul General of the Netherlands in Melbourne, Victoria, Australia.'
In the following annual report the same series appears under 'Losses'. Bosschart asked for the return of his photographs. Because the Museum

Toch zouden we Sevruguin tekort doen door hem als een vooral op de commercie gerichte fotograaf te bestempelen. Hij was de eerste fotograaf in Iran die van zijn fotografie kon leven, maar de manier waarop hij ook buiten de studio en op locatie de vele verschillende bevolkingsgroepen fotografeert getuigt van interesse in en betrokkenheid bij het land en de culturen van Iran. Sevruguin reist ook door het land om een beeldinventaris te maken van bevolkingsgroepen, landschappen en dagelijkse bezigheden.
Dit etnografische aspect van zijn werk blijft niet onopgemerkt. Antropologen kopen zijn foto's, ze zijn te zien op de Wereldtentoonstellingen van Brussel (1897) en Parijs (1900) en ze vallen regelmatig in de prijzen. Hoewel Sevruguin in Teheran een gevierd fotograaf is[1], blijft hij een onbekende in Europa. Veel van zijn door Europeanen gekochte fotografie wordt gepubliceerd in (semi-)wetenschappelijke uitgaven, maar daarbij wordt zijn naam niet vermeld, iets wat Sevruguin behoorlijk dwars zit, maar het is een lot dat vele fotografen uit deze periode treft. Ook Dr. C.H. Stratz neemt Sevruguins foto's op in zijn *Die Rassenschönheit des Weibes* zonder zijn naam te vermelden. Wel de herkomst van de foto's: Stratz heeft deze geleend van het museum in Leiden.

Van Sevruguin is bekend dat hij ruim 7000 opnamen heeft gemaakt, op glasplaten. Van deze collectie is niet zo veel meer over. In 1908 raakt Iran in een constitutionele crisis. Soldaten van Muhammed Ali Shah steken huizen van tegenstanders in brand en plunderen hun bezittingen. De buurman van Sevruguin is een gezocht man en zijn huis en daarmee ook een deel van Sevruguins studio worden vernietigd. De collectie van Sevruguin loopt grote schade op. Met moeite kunnen er 2000 glasplaten gered worden. Deze emotionele en financiële klap komt hij nauwelijks te boven.
Onder het bewind van Reza Shah (vanaf 1925) krijgt Sevruguin een nieuwe aanval te verduren. De Shah wil het land moderniseren en daarvoor vindt hij het nodig om alles te vernietigen wat niet in het moderne beeld past.
De resterende glasplatencollectie wordt in beslag genomen. Waarschijnlijk is het zijn dochter Mary die er via haar connecties in slaagt om 696 platen terug te krijgen. Ze schenkt deze na Sevruguins dood aan de American Presbyterian Mission in Teheran en uiteindelijk komen ze terecht in het Smithsonian Institution in Washington D.C., in het archief van de Arthur M.Sackler Gallery. Dit is de grootste Sevruguincollectie die nog over is. Naast nog enkele tientallen afdrukken in de National Anthropological Archives van het Smithsonian, bevinden zich voor zover bekend alleen nog in Nederland werken van Sevruguin: in collecties van de Universiteit van Leiden en ruim 170 glasplaten en afdrukken in het Rijksmuseum voor Volkenkunde in Leiden.
In het jaarverslag van het museum van 1899/1900 staat onder 'Verworvenheden' geschreven:
'Eene groote verzameling zeer instruktieve photographieën van natuurgezichten en inboorlingen uit verschillende streken van Perzië. Bruikleen van den heer W.L. Bosschart, Consul-generaal der Nederlanden te Melbourne, Vict., Australië.'
In het volgende jaarverslag staat dezelfde serie onder de 'Verliezen'. Bosschart heeft zijn foto's teruggevraagd. Omdat men de afbeeldingen toch

still wanted to retain the images, before their return the prints were tacked to a wooden board with drawing pins and rephotogaphed on glass plates. Subsequently prints were made from these glass plate negatives. Although this collection thus contains no original glass plates or prints, thanks to these reproductions images by Sevruguin have been preserved. The original glass negatives have been lost. It is unknown what Bosschart did with the original photographs, or where they are now.

graag wil behouden worden de foto's voordat ze terug worden gegeven met spelden op een houten plank geprikt en gefotografeerd, op glasplaten. Van deze glasplaatnegatieven worden vervolgens weer afdrukken gemaakt. Hoewel deze collectie dus geen originele glasplaten of afdrukken bevat, zijn er dankzij deze reproducties toch beelden van Sevruguin bewaard gebleven, waarvan de oorspronkelijke glasnegatieven vernietigd zijn. Het is onbekend wat Bosschart met de originele foto's gedaan heeft en waar ze nu zijn.

Bibliografie *Bibliography*

Yakhya Zoka: *Tarikh-i akkasi va akkasan-i pishgram dar Iran*
(The history of photography and pioneer photographers in Iran)
Tehran, 1997 (met meer dan 50 foto's van Sevruguin)

Sevruguin and the Persian Image. Photographs of Iran, 1870-1930.
Edited by Fred. N. Bohrer.
Arthur M. Sackler Gallery, Smithsonian Institution/University of Washington
Press, 1999.

Sevruguin's Iran: Late Nineteenth Century photographs of Iran from the National Museum of Ethnology in Leiden, the Netherlands.
Editors: L.A. Ferydoun Barjesteh van Waalwijk van Doorn and Dr. Gillian
M. Vogelsang-Eastwood. Teheran/Rotterdam, 1999.

Een groep chocoladeverkopers
met een bord Van Houten Cacao

A group of chocolate sellers with
a sign from Van Houten Cacao,
a famous Dutch firm still in existence

Door/*By*
Eric Venbrux, Philip Jones

Paul Foelsche

(1831 - 1914)

'Prachtaufnahmen': politie-inspecteur Paul Foelsche's antropometrische foto's van Aborigines uit Noord-Australië, 1879

Foto's van Australische Aborigines stonden eind 19de en begin 20ste eeuw sterk in de belangstelling bij Europese geleerden. In theorieën over de oorsprong en evolutie van de mensheid nam de casus van de Aborigines een centrale plaats in. Ze werden niet alleen in ruimtelijke zin als tegenvoeters van de beschaafde Europeanen beschouwd, maar ook in de tijd en in ontwikkeling of vooruitgang. Aborigines vormden het voorbeeld bij uitstek van de zogeheten 'primitieve samenleving'. De idee van mensen die als het ware nog in het stenen tijdperk leefden maakte dat informatie over deze 'hedendaagse voorouders' van groot gewicht was voor de wetenschappelijke gemeenschap. Musea speelden een toonaangevende rol in het verspreiden van de evolutionaire hypotheses onder het grote publiek. Om de vroegste stadia van het menselijk samenleven en cultuur aanschouwelijk te maken bestond er derhalve een grote vraag naar de 'primitieve' artefacten, schedels en foto's van Australische Aborigines.
In 1897 verwierf het Rijksmuseum voor Volkenkunde in Leiden een set van negen foto's van Australische Aborigines. Zes daarvan zijn hier afgedrukt. De foto's werden geschonken door Amandus Zietz van het South Australian Museum in Adelaide. Carl Stratz publiceerde uitsnedes van zes afbeeldingen uit de Leidse serie in zijn boek *Naturgeschichte des Menschen* (1904).
Hij ging er ten onrechte van uit dat Zietz deze foto's gemaakt had en dat de afgebeelde Aborigines uit Adelaide (in het zuiden van Australië) afkomstig waren. De Leidse foto's behoorden tot een oorspronkelijke serie van dertien die in 1881 naar Adelaide gestuurd was door de inspecteur van politie in het Noordelijk Territorium, Paul Foelsche (1831-1914). Deze afbeeldingen behoorden blijkbaar tot zijn *Notes on the Aborigines of North Australia* (1882), de tot dan toe belangrijkste fotografische publicatie met betrekking tot Australische Aborigines. De foto's werden hierin opgenomen om te laten zien 'that the physical characteristics of the natives inhabiting the north coast of Australia vary considerably from those of the south.'[1]
Ze behoren tot een genre dat speciaal voor wetenschappelijke doeleinden ontwikkeld was door de Britse evolutionist Thomas Huxley. In 1869 had Huxley via de Britse onderminister van Koloniën een verzoek tot de koloniale gouverneurs gericht om antropometrische foto's te ontvangen die een systematische vergelijking tussen 'raciale' typen mogelijk moesten maken.

'Prachtaufnahmen': Police Inspector Paul Foelsche's anthropometric photographs of Aborigines from Northern Australia, 1879

In the late 19th and early 20th century photographs of Australian Aborigines came to be of great interest to European scholars. The case of the Aborigines stood central in theories about the origins and evolution of humankind. They were considered the antipodeans of the 'civilised' Europeans, not only in space but also in time and in development or progress. Aborigines thus formed the outstanding example of so-called 'primitive society'. The idea of a people still living in the Stone Age (in popular parlance) made information about these 'contemporary ancestors' of utmost importance to the scientific community. Museums played a major role in the dissemination of the evolutionary hypotheses to the general public. To illustrate the earliest stages of human life and culture, the 'primitive' artefacts, skulls and photographs of Aborigines were in demand.
In 1897 the National Museum of Ethnology at Leyden acquired a set of nine photographs of Australian Aborigines. Six of them are reproduced in this volume. Amandus Zietz from the South Australian Museum in Adelaide donated the photographs to the Leyden Museum. Subsequently, Carl Stratz published six cropped images from the Leyden series in his Naturgeschichte des Menschen *(1904). He wrongly assumed that Zietz was the photographer and that the Aborigines depicted were from Adelaide. The Leyden photographs were from an original set of thirteen which had been sent to Adelaide in 1881 by the Northern Territory Police Inspector Paul Foelsche (1831-1914). These images apparently accompanied his published* Notes on the Aborigines of North Australia *(1882) which, to that date, comprised the most significant photographic publication concerning Aboriginal people. The photographs were included to 'show that the physical characteristics of the natives inhabiting the north coast of Australia vary considerably from those of the south.'[1]*
They belong to a genre specifically devised for scientific purposes by the British evolutionist Thomas Huxley. In 1869 Huxley had issued a request to colonial governors, relayed through the British Colonial Secretary, for anthropometric photographs enabling systematic comparison of 'racial' types. Huxley recommended that individuals be photographed naked in carefully prescribed poses, seated and in full length, both frontal and in

profile. A measuring rod, the anthropometer, had to be placed next to the subject, at a fixed distance from the camera.[2] Huxley initially got a poor response from Australia. By 1869 most of the Aboriginal populations adjacent to colonial capitals were severely depleted. The largest groups in these regions were the small mission populations of south-eastern Australia and these people were no longer prepared to submit to the photographic procedures which Huxley required. But by the later 1870s and at the time of the Paris Exhibition of 1878 (for which Foelsche's photographic skills were enlisted), Huxley's desiderata had been adopted more widely. Foelsche's series of anthropometric portraits, produced on the far northern frontier under circumstances of contact which enabled such asymmetric transactions, can thus be regarded as a delayed response to Huxley's request.[3]

If Huxley's project had a clear agenda it was to demonstrate the unsuitability of the 'primitive races' for the evolutionary struggle which Europeans were destined to win through the technological progress resulting from their presumed superior intellect and physiognomy. Colonialism would drive that message home.

Evolutionist scholars soon came to regard Aborigines 'contaminated' by European influences as 'degenerate'. Aborigines on the frontier on the other hand were assumed to be closer to nature and admired for their bodily strength and physical appearance. Foelsche's photographs conveyed that appeal; despite their nakedness, the individuals in the Leyden series are clearly neither brutish nor primitive. The fore-mentioned Stratz was particularly impressed. The chest and shoulder muscles of these people with 'a lean and elegant build', he writes, 'are of rare power and beauty'.[4] The Australian physical anthropologist W. Ramsay Smith later noted that Foelsche had even enhanced his subjects' appearance, using powdered charcoal to dull the sheen of their skin, producing a richer, more textured image which enhanced their musculature.[5] In the view of Hermann Klaatsch, a German physical anthropologist, Foelsche produced 'Prachtaufnahmen', beautiful or superb photographs, showing Aborigines superior in build to the ones in the south.[6] The properties attributed to the bodies of 'wild' Aborigines at the colonial frontier reflected the colonial ethos of manliness and conquering 'nature', tinged heavily with nostalgia. The moment of these images might also suggest, in the viewers' eyes, the moment before extinction.

At the colonial frontier

In January 1870, Paul Foelsche arrived at Port Darwin (the present Darwin, founded in 1869) to head the police force in the Northern Territory.[7] Foelsche lived in a small house with his wife Charlotte and their two daughters. He became an active community member: Foelsche served as the local dentist, was an expert on firearms, and founder of the local Freemasons' Lodge. Around 1873, he took over Captain Samuel Sweet's role as the Territory's most prominent photographer. Foelsche began with landscapes and town views, before moving to portrait photography in response to requests from International Exhibition organisers. The Larrakia in the vicinity of the

Huxley raadde aan individuele personen naakt te fotograferen in zorgvuldig omschreven poses, gezeten en staand, en dan zowel het vooraanzicht als in profiel. Een meetlat, de antropometer, diende naast het model geplaatst te worden op een vaste afstand van de camera.[2] Huxley kreeg aanvankelijk weinig respons vanuit Australië. Tegen 1869 waren de meeste Aboriginal bevolkingsgroepen nabij de koloniale hoofdsteden sterk uitgedund. De meest omvangrijke groepen in deze contreien betroffen de kleine populaties op missieposten in zuidoostelijk Australië, maar deze mensen waren niet langer genegen om zich te onderwerpen aan de door Huxley voorgeschreven fotografische procedures. In de latere jaren zeventig en ten tijde van de Parijse tentoonstelling van 1878 (waarvoor ook Foelsche's fotografische vaardigheden ingeschakeld werden) gaf men echter ruimer gehoor aan Huxley's wensen. Foelsche vervaardigde zijn antropometrische foto's aan de uiterst noordelijke kolonisatiegrens onder omstandigheden die zulke asymmetrische transacties mogelijk maakten. De serie portretten kan dus beschouwd worden als een verlate reactie op Huxley's verzoek.[3]

Indien Huxley's project een duidelijke agenda had, dan was het om aan te tonen dat de 'primitieve rassen' niet opgewassen waren tegen de evolutionaire strijd met de Europeanen, die immers voorbestemd waren om deze strijd te winnen vanwege hun technologische voorsprong die voortvloeide uit hun vermeende superieure intelligentie en fysiognomie. Het kolonialisme zou dit duidelijk maken.

Evolutionistische geleerden beschouwden Aborigines onder Europese invloed al spoedig als 'gedegenereerd'. Aborigines aan de kolonisatiegrens echter werden verondersteld dichter bij de natuur te staan en bewonderd om hun lichaamskracht en fysieke verschijning. De foto's van Foelsche appelleren hier aan, want ondanks hun naaktheid zijn de in de Leidse serie afgebeelde personen bruut noch primitief. De eerder genoemde Stratz was zelfs bijzonder onder de indruk. De borst- en schouderspieren van deze mensen met 'einen schlanken zierlichen Bau', schrijft hij, 'sind von seltener Kraft und Schönheit'.[4] De Australische fysisch antropoloog W. Ramsay Smith merkte later op dat Foelsche zelfs de verschijning van zijn onderwerpen beter had doen uitkomen door met houtskoolpoeder de glans van hun huid doffer te maken, waardoor een rijker beeld met meer textuur ontstond die de spierpartijen beter tot hun recht lieten komen.[5] In de visie van Hermann Klaatsch, een Duitse fysisch antropoloog, produceerde Foelsche 'Prachtaufnahmen' (prachtopnamen) die Aborigines met een superieure lichaamsbouw in vergelijking met die in het zuiden lieten zien.[6] De eigenschappen die aan de lichamen van 'wilde' Aborigines aan de kolonisatiegrens werden toegeschreven weerspiegelen het koloniale ethos van mannelijkheid en veroveringsdrift op de 'natuur', doorspekt met een flinke dosis nostalgie. Het tijdstip waarop deze afbeeldingen gemaakt werden, representeerde wellicht in Europese ogen het moment van uitsterven van deze Aborigines.

Aan de kolonisatiegrens

In januari 1870 arriveerde Paul Foelsche in Port Darwin (het huidige Darwin, gesticht in 1869) om de leiding van de politie in het Noordelijk Territorium op zich te nemen.[7] Foelsche leefde in een bescheiden huis met zijn vrouw

Charlotte en hun twee dochters. Hij werd een actief lid van de gemeenschap: Foelsche diende als de plaatselijke tandarts, was een expert in vuurwapens en oprichter van de plaatselijke vrijmetselaarsloge. Rond 1873 nam hij de rol van de belangrijkste fotograaf van het Territorium over van kapitein Samuel Sweet. Foelsche begon met landschappen en stadsgezichten alvorens hij mensen ging fotograferen op verzoek van de organisatoren van internationale tentoonstellingen.

De Larrakia in de omgeving van de nederzetting Port Darwin bezorgden de Europeanen geen last, maar werkten voor hun, in ruil voor rantsoenen van aangetast meel en andere Europese producten, zoals suiker en tabak. Eerdere vriendschappelijke betrekkingen tussen Britten en Aborigines rond Port Essington op het Cobourg-schiereiland werden spoedig hersteld. De Aborigines uit het gebied rond de Adelaide- en Alligator-rivieren, gelegen tussen Port Darwin en het Cobourg-schiereiland, boden aanvankelijk verzet tegen de Europese indringers. In Foelsche's eerste jaar in Port Darwin bijvoorbeeld belaagden meer dan honderd gewapende Woolna, waarvan velen beschilderd, de nederzetting.

Als de in rang hoogste politieambtenaar van het Territorium verliet inspecteur Foelsche zelden Port Darwin. Hij beperkte zijn reizen tot de kuststreek tot zo'n honderd mijl ten oosten van de stad, de goudvelden en het Cobourg-schiereiland. In november 1877 ging Foelsche naar Port Essington om foto's te nemen voor de naderende Wereldtentoonstelling in Parijs. Zijn werk in een studio als donkere kamer, met gebruik van het natte platen procédé onder een hoge luchtvochtigheid en bij een temperatuur van meer dan 40 graden Celsius, resulteerde in een serie van ten minste 80 geportretteerde Aborigines. Dit werd voortgezet met een serie van 14 in 1878 en vervolgens een serie van minimaal 40 geportretteerden in februari en mei 1879. Minstens zes van de Leidse afbeeldingen kwamen tot stand tijdens een fotosessie in mei 1879.

Om het kolonialisme in het noorden aan te moedigen zond Foelsche talloze landschapsfoto's naar personen en instellingen elders in Australië en overzee. Foelsche maakte verder nog landschapsfoto's in zowel Port Essington als Southport en in Port Darwin zelf portretteerde hij Aborigines. Hij hield echter vast aan het bewerkelijke fotografische procédé met natte collodium platen, hetgeen zijn mogelijkheden om in het veld te fotograferen inperkte. Zoals het volgende citaat uit zijn opstel uit 1881 aangeeft, stelde hij zich er tevreden mee dat zijn Aboriginal-modellen naar hem toekwamen: 'Physically speaking, the strongest tribes I have met with are those on the Alligator Rivers in Van Diemen's Gulf - a great many of the men are over six feet high, and well proportioned. I have only been able to get a few samples of photos of these tribes, as they very seldom come near the settlements.'[8]

Hoewel Foelsche's antropologische fotografie en diens verzamelen van gegevens aan de kolonisatiegrens beantwoordde aan de verzoeken van wetenschappers en organisators van tentoonstellingen uit de metropolen, ziet het ernaar uit dat hij tegen 1879 een andere agenda had, namelijk het introduceren van politiefotografie als een surveillancetechniek die hem in staat stelde de moeilijk door Europeanen te onderscheiden Aboriginal-'misdadigers' te traceren. Dit initiatief, dat Foelsche blijkbaar onafhankelijk

Port Darwin settlement did not cause the Europeans much trouble, they worked for them and received rations of damaged flour and other European commodities such as sugar and tobacco in return. When a cattle station was formed at Port Essington on the Cobourg Peninsula in 1875, friendly relations were soon re-established with the Aborigines who had become acquainted with the British at an earlier settlement there (abandoned in 1849). The Aborigines of the Adelaide and Alligator Rivers region, located between Port Darwin and the Cobourg Peninsula, initially offered resistance to the European invaders. In Foelsche's first year at Port Darwin, for example, over one hundred armed Woolna, many of them painted up, came to the settlement.

As the most senior officer in the Territory, Inspector Foelsche rarely left Port Darwin, and restricted his travelling to the coastal area over a hundred miles east of the town, the goldfields and the Cobourg Peninsula. In November 1877 Foelsche went to Port Essington to take photographs for the forthcoming World Exhibition in Paris. Using a studio for his dark-room, he employed the wet-plate process in humid conditions of more than 40° Celsius producing a series of at least 80 Aboriginal portraits. A further series of 14 portraits followed in 1878, another of at least 40 portraits during February and May 1879. At least six of the Leyden portraits derived from his May 1879 session.

Foelsche sent numerous landscape photographs to people and institutions elsewhere in Australia and overseas to promote colonialism in the north. Foelsche took additional landscape photographs at Port Essington and Southport, and portraits at Port Darwin itself, but as he continued to use the cumbersome wet-plate process this undoubtedly restricted his capacity for field photography. As the following quotation from his 1881 paper suggests, he was content for his Aboriginal subjects to come to him: 'Physically speaking, the strongest tribes I have met with are those on the Alligator Rivers in Van Diemen's Gulf - a great many of the men are over six feet high, and well proportioned. I have only been able to get a few samples of photos of these tribes, as they very seldom come near the settlements.'[8]

While Foelsche's frontier anthropological photography and data-recording was in response to requests from metropolitan scientists and exhibition organisers, it seems that by 1879 he had another agenda; that of introducing police photography as a surveillance technique, enabling him to keep track of Aboriginal 'miscreants' who were not easily identifiable to the European eye. This initiative, which Foelsche apparently developed independently of the photographic 'system' of criminal identification being developed in Paris by Alphonse Bertillion at this time, was suppressed by his superiors.

Foelsche applied himself to an understanding of Aboriginal customs and language but these studies were a reaction to anthropological questionnaires circulated by his superiors and there is little evidence that Foelsche was a particularly enthusiastic or sympathetic anthropologist. If he did regard this research as useful, it was primarily within the context of his own responsibility to pacify and control the northern frontier.

In the far north Foelsche's police

force and the settlers acted towards Aborigines with considerable discretion, taking the law in their own hands. From time to time, atrocities occurred. Foelsche once used the euphemism 'a Picnic with the Natives' for a 'reprisal killing' of Aborigines condoned by him.[9] In addition, he employed expressions such as 'Nigger Hunt', but chose not to get involved in a punitive expedition himself when he expected the party included 'too many tale-tellers.'[10]
Foelsche served the police force in the Northern Territory for 34 years. The policeman retired in 1904. Ten years later, he died.

Aborigines photographed

Foelsche's 'Prachtaufnamen' seem to have been taken in May 1879, when he was under no particular pressure from international exhibitions. His motivation may well have been to build up a police 'archive' of potential Aboriginal miscreants. The eight Leyden portraits depict at least three members of the Woolna ('Woolnah' in the policeman's 1881 spelling; presently known as Djerimanga): Nian-bambee, a 25-year old woman (no.7, not reproduced here), Minnirhama (no. 5) and Lialloon (no. 4). The unidentified man from the (either South or East) Alligator River (no. 2, not in this volume) stands out for his height, which is in accordance with Foelsche's remark cited above. The style of beard of the Macassans or Indonesian fishermen who had long since frequented the coast was adopted by local Aborigines. The Aboriginal men in photographs nos. 2, 3 (Manningel) and 4 (Lialloon) wear this type of beard. Foelsche believed that the Maccasans had brought smallpox to the Australian north coast in the 1860s: some of the people in the photographs (e.g., nos. 8, 9) may bear the marks left on their skin. Foelsche, in addition, comments on the body scarifications and ornaments in his 1881 paper.[11]
Foelsche took at least 250 Aboriginal portraits during his career, a small minority of which were prisoners. It is tempting to read defiance or coercion into the returned gaze of his subjects, but we have no evidence of this. Foelsche may have shown his portraits to Aboriginal people and this may have provided an incentive. A recently identified image of a large group waiting to be photographed at Port Essington during November 1877, with Foelsche's dark-room studio in the background, suggests that he had organised this event, perhaps offering extra rations as payment.
All the Leyden subjects sit on a similar chair in a for them unusual position. This, and the necessity to keep still might have caused discomfort. The women had to take off their European skirts if they were wearing these. Given the traditional modesty of these people in formal circumstances, this undoubtedly represented a further intrusion.
W. Ramsay Smith's claim that Foelsche's subjects were also coated in powdered charcoal suggests that the photographer was testing the limits of their good-will. Later testimony from Aboriginal people regarding anthropologists and their routines indicates a possible explanation for the forbearance of Foelsche's subjects; the perception of the procedure as a form of ceremonial action, an ordeal to be endured without flinching or complaining.
Historically, such intrusive portraiture could eventually be regarded by Aboriginal people as a necessary

ontwikkelde van het fotografische 'systeem' voor de identificatie van criminelen waar Alphonse Bertillion rond die tijd in Parijs mee bezig was, werd door zijn superieuren de kop ingedrukt.
Foelsche hield zich bezig met het bestuderen van Aboriginal-gebruiken en taal, maar dit deed hij in reactie op antropologische vragenlijsten die door zijn superieuren rondgezonden werden en er is weinig dat aantoont dat Foelsche een bijzonder enthousiaste of sympathieke antropoloog was. Zo hij al het nut van deze onderzoekingen inzag dan was het toch vooral in de context van zijn eigen verantwoordelijkheid de noordelijke kolonisatiegrens te pacificeren en te beheersen.
In het verre noorden konden Foelsche's politiekorps en de kolonisten tot op zekere hoogte eigenmachtig tegen Aborigines optreden. Van tijd tot tijd leidde dit tot wreedheden. Foelsche gebruikte eens het eufemisme 'a Picnic with the Natives' voor het door hem oogluikend toegelaten doden van Aborigines uit vergelding.[9] Verder gebruikte hij ook uitdrukkingen zoals 'Nigger Hunt', maar verkoos niet zelf betrokken te raken in een strafexpeditie waarvan hij vermoedde dat er 'too many tale-tellers' deel van uit maakten.[10] Foelsche diende de politiemacht in het Noordelijk Territorium gedurende 34 jaar.
De politieman ging in 1904 met pensioen. Tien jaar later overleed hij.

Gefotografeerde Aborigines

Foelsche's 'Prachtaufnamen' schijnen in mei 1879 genomen te zijn toen hij niet zo zeer onder druk stond om te produceren voor internationale tentoonstellingen. Zijn motief zou wel eens het opbouwen van een politiearchief van potentiële Aboriginal-misdadigers geweest kunnen zijn.
De acht Leidse fotoportretten tonen op z'n minst drie leden van de Woolna ('Woolnah' in Foelsche's spelling in 1881; tegenwoordig echter Djerimanga geheten): Nian-bambee, een 25-jarige vrouw (nr.7, hier niet afgebeeld), Minnirhama (nr. 5) en Lialloon (nr. 4). De niet geïdentificeerde man van (de South of East) Alligator River (nr. 2, niet in dit boek) is van een uitzonderlijke lichaamslengte, wat overeenstemt met de hierboven aangehaalde opmerking van Foelsche. Van Makassaarse of Indonesische vissers die sinds lange tijd de kust bezochten namen Aborigines onder meer de baarddracht over.
De Aboriginal-mannen op de foto's nrs. 2, 3 (Manningel) en 4 (Lialloon) dragen dit type baard. Foelsche geloofde dat de Makassaren in de jaren zestig ook de pokken geïntroduceerd hadden aan de Australische noordkust: enkele van de mensen op de foto's (bijvoorbeeld nrs. 8, 9) zijn hier mogelijk door getekend. Foelsche, bij wijze van aanvulling, geeft in zijn stuk uit 1881 commentaar op de lichaamsinkervingen en -ornamenten.[11]
Gedurende zijn loopbaan portretteerde Foelsche zeker 250 Aborigines, waarvan een kleine minderheid gevangenen waren. Het is verleidelijk om verzet of dwang uit de blikken van de gefotografeerden op te maken, maar daarvoor ontbreken de aanwijzingen. Foelsche liet mogelijk foto's aan Aborigines zien, wat op zichzelf een aansporing ingehouden zou kunnen hebben. Een recent geïdentificeerde afbeelding van een omvangrijke groep, met Foelsche's donkere kamer en studio op de achtergrond, in afwachting om gefotografeerd te worden in Port Essington in november 1877, suggereert

dat hij deze sessie georganiseerd had, mogelijk door extra rantsoenen als betaling aan te bieden.
Alle Leidse modellen zitten op steeds dezelfde stoel. Het zitten in een voor de betrokkenen ongewone houding en de noodzaak om niet te bewegen kunnen ongemak veroorzaakt hebben. In het geval dat de vrouwen Europese rokken droegen moesten ze die uitdoen. In het licht van de traditionele zedelijkheid van deze mensen bij formele aangelegenheden hield dit ongetwijfeld een verdere inbreuk hierop in. W. Ramsay Smith's bewering dat Foelsche's onderwerpen tevens bedekt waren met verpulverd houtskool wekt de suggestie dat de fotograaf de grenzen van hun goede wil aftastte. Latere getuigenissen aangaande Aborigines met betrekking tot antropologen en hun gebruikelijke praktijken wijzen op een mogelijke verklaring voor de toegeeflijkheid van Foelsche's modellen, namelijk de perceptie van de gang van zaken als een ceremoniële handeling, een beproeving die men moest ondergaan zonder een spier te vertrekken of te klagen.
Historisch gezien zou zulke indringende portrettering door Aborigines opgevat kunnen zijn als een vorm van noodzakelijk protocol of zelfs een kwestie van routine. Conigrave beschrijft een bezoek aan een Aboriginal-kamp op Bathurst Island, ten noorden van Darwin, in November 1914. Binnen de kortste keren had hij een 'photographic salon' in bedrijf. Conigrave schrijft, 'our subjects very quickly seized our anxiety to take them full face and profile. If when the former had been taken, a native was slow in turning for his other portrait, he was given some 'hurry-up' by those looking on, and when the focal plane shutter went off with a snap, there was satisfied clicking of tongues against their cheeks that seemed to assure us that we had done our job well.'[12] Het poseren leek als een performance op zichzelf begrepen te worden. Baldwin Spencer, die talloze foto's van Aborigines in de regio nam, beschrijft een Aboriginal-persoon 'who, after posing a few natives for the purpose, imitated by means of three sticks for a tripod and a sheet of paper bark for a focussing cloth, the actions of a very excitable photographer he had watched.'[13] Hoewel deze toeschrijving van een fascinatie met moderne technologie aan 'primitieve' anderen de heersende noties van Europese culturele superioriteit versterkte, geeft het ook de mate aan waarin fotografie vervlochten was geraakt met de beleving van de kolonisatiegrens.

Conclusie

Etnografische portretfoto's deden, gelijk de dubbelen van artefacten, hun intrede in het circuit van uitwisselingen tussen etnografische musea. Verzamelingen van menselijke resten, etnografische artefacten en foto's verduidelijkten de veronderstelde evolutionaire status van Aborigines. Dit materiaal hielp de suggestie van een 'natuurlijke' orde te wekken, gebaseerd op een misleidend concept van 'ras'. Tegelijkertijd rechtvaardigde de aldus geconstrueerde hiërarchie de koloniale pogingen om deze 'wilde' mensen, die als tijdloos gezien werden omdat ze in 'de oertijd' zouden zijn blijven steken, in een Europees raamwerk onder te brengen. De ironie die de foto's van Foelsche onthullen - met hun nauwgezette onderschriften voorzien van namen, leeftijden en tribale aanduidingen - is dat deze mensen echter al nadrukkelijk in hun eigen tijd en ruimte gesitueerd waren.

protocol, if not a matter of routine. Conigrave describes a visit to an Aboriginal camp on Bathurst Island, north off Darwin, in November 1914. In no time he had a 'photographic salon' going. Conigrave writes, 'our subjects very quickly seized our anxiety to take them full face and profile. If when the former had been taken, a native was slow in turning for his other portrait, he was given some 'hurry-up' by those looking on, and when the focal plane shutter went off with a snap, there was satisfied clicking of tongues against their cheeks that seemed to assure us that we had done our job well.'[12] The posing seemed to be understood as a performance in itself. Baldwin Spencer, who took numerous photographs of Aborigines in the region, describes an Aboriginal person 'who, after posing a few natives for the purpose, imitated by means of three sticks for a tripod and a sheet of paper bark for a focussing cloth, the actions of a very excitable photographer he had watched'.[13] While this ascription of a fascination with modern technology to 'primitive' others reinforced prevailing European notions of cultural superiority, it also indicates the degree to which photography had become woven into the frontier experience.

Conclusion

Ethnographic portrait photographs, like duplicates of artefacts, entered the circuit of exchanges between ethnographic museums. Collections of human remains, artefacts and photographs clarified the supposed evolutionary status of Aborigines. This evidence helped to suggest a 'natural' order, on the basis of the erroneous concept of 'race'. Simultaneously, the constructed hierarchy justified the colonial endeavour, to bring these 'wild' and timeless people within the European frame. The irony which Foelsche's photographs reveal, with their precise captions detailing names, ages and tribal affiliations, is that these people were already precisely and confidently located, in their own time and space.

Notes

1. P. Foelsche, Notes on the Aborigines of North Australia, Transactions of the Royal Society of South Australia, vol. 5 (1881), Adelaide 1882, 1-18, esp. 1. The claim for the photographs' significance and for their inclusion in Foelsche's publication is made by the photographic historian Robert Holden (Colonial Photography in Australia, Sydney 1988, 48), but it seems that many copies of the journal do not contain the photographs.
2. See F. Spencer, Some notes on the attempt to apply photography to anthropometry during the second half of the nineteenth century, in: E. Edwards (ed.), Anthropology and Photography 1860-1920, New Haven 1992, 99-107; and E. Edwards, Representation and reality: science and the visual image, in: H. Morphy and E. Edwards (eds), Australia in Oxford. Oxford 1988, 27-45.
3. The Leyden series of Aboriginal photographs consists of frontal views of seated subjects only. The South Australian Museum in Adelaide holds seated and standing views of most of the Leyden series, except for Leyden nos. 2 and 9. The extensive database of Foelsche images being compiled by Tim Smith in Adelaide enabled us to identify nos. 6, 7 and 8 and to check the Leyden records concerning the others. We found, in addition, that the Pitt Rivers Museum in Oxford keeps in its collections at least two other photographs of Minnirhama (Leyden no. 5). These published images, captioned 'Physical Anthropology specimens' (Edwards, op. cit., 39, fig. 43) and donated by Admiral Maclear in 1893 (Elizabeth Edwards, personal communication), also demonstrate that the Leyden series is incomplete: they show Minnirhama in full length, the one frontal and the other in profile. The Museum für Völkerkunde in Vienna holds at least one other view of Lialloon (Leyden no. 4), showing him seated in profile (C.F. Feest, Völker-Bilder: 150 Jahre Fotografie, Wien 1989, 5, no. 19.975; Linda Roodenburg, personal communication).
4. C. H. Stratz, Naturgeschichte des Menschen, Stuttgart 1904, 280.
5. W. Ramsay Smith, In Southern Seas: Wanderings of a Naturalist. London, 1924, p.142.
6. H. Klaatsch, Schlüssbericht über meine Reise nach Australien in den Jahren 1904-1907, Zeitschrift für Ethnologie 39 (1907), 635-690, esp. 673-674.
7. This section is partly based on G. Reid, A Picnic with the Natives: Aboriginal-European Relations in the Northern Territory to 1910, Melbourne 1990; A. Powell, Far Country: A Short History of the Northern Territory, Melbourne 1988; and R.J. Noye, Foelsche, Paul Heinrich Matthias, Australian Dictionary of Biography, vol. 9 (1891-1939), Melbourne 1983, 192-193.
8. Foelsche, op. cit., 2.
9. Reid, op. cit., 67.
10. Ibid., 70, 67.
11. Foelsche, op. cit., 6-7.
12. C.P. Conigrave, North Australia, London 1936, 170.
13. W.B. Spencer, Native Tribes of the Northern Territory of Australia, London 1914, 41.

Noten

1. P. Foelsche, *Notes on the Aborigines of North Australia*, Transactions of the Royal Society of South Australia, vol. 5 (1881), Adelaide 1882, 1-18, m.n. 1. De bewering betreffende de betekenis van de foto's en hun opname in Foelsche's publicatie wordt gemaakt door de fotografie-historicus Robert Holden (*Colonial Photography in Australia*, Sydney 1988, 48), maar naar het schijnt ontbreken de foto's in veel exemplaren van het tijdschrift.
2. Zie F. Spencer, *Some notes on the attempt to apply photography to anthropometry during the second half of the nineteenth century*, in: E. Edwards (ed.), *Anthropology and Photography 1860-1920*, New Haven 1992, 99-107; en E. Edwards, *Representation and reality: science and the visual image*, in: H. Morphy & E. Edwards (eds), *Australia in Oxford*. Oxford 1988, 27-45.
3. De Leidse serie Aboriginal-foto's bestaat slechts uit vooraanzichten van zittende modellen. Van de meesten in de Leidse serie, met uitzondering van nrs. 2 en 9, heeft het South Australian Museum in Adelaide afbeeldingen zittend en staand. De uitgebreide database met Foelsche foto's die door Tim Smith in Adelaide wordt samengesteld stelde ons in staat om nrs. 6, 7 and 8 te identificeren en de Leidse gegevens betreffende de anderen te controleren. Verder bleek ons dat in de fotocollecties van het Pitt Rivers Museum in Oxford minstens twee andere afbeeldingen van Minnirhama (Leiden nr. 5) aanwezig zijn. Deze gepubliceerde afbeeldingen, met het onderschrift 'Physical Anthropology specimens' (Edwards, *op. cit.*, 39, fig. 43) en geschonken door admiraal Maclear in 1893 (Elizabeth Edwards, persoonlijke mededeling), tonen eveneens aan dat de Leidse serie incompleet is: ze laten Minnirhama staande en over haar volle lengte zien, de ene foto betreft een vooraanzicht en de andere een zijaanzicht. Het *Museum für Völkerkunde* in Wenen heeft ten minste één andere foto van Lialloon (Leiden nr. 4), die hem gezeten op de stoel van de zijkant laat zien (C.F. Feest, *Völker-Bilder: 150 Jahre Fotografie*, Wien 1989, 5, nr. 19.975; Linda Roodenburg, persoonlijke mededeling).
4. C. H. Stratz, *Naturgeschichte des Menschen*, Stuttgart 1904, 280.
5. W. Ramsay Smith, *In Southern Seas: Wanderings of a Naturalist*. Londen, 1924, p.142.
6. H. Klaatsch, *Schlüssbericht über meine Reise nach Australien in den Jahren 1904-1907*, Zeitschrift für Ethnologie 39 (1907), 635-690, m.n. 673-674.
7. Deze paragraaf is ten dele gebaseerd op G. Reid, *A Picnic with the Natives: Aboriginal-European Relations in the Northern Territory to 1910*, Melbourne 1990; A. Powell, *Far Country: A Short History of the Northern Territory*, Melbourne 1988; and R.J. Noye, *Foelsche, Paul Heinrich Matthias*, *Australian Dictionary of Biography*, vol. 9 (1891-1939), Melbourne 1983, 192-193.
8. Foelsche, *op. cit.*, 2.
9. Reid, *op. cit.*, 67.
10. *Ibid.*, 70, 67.
11. Foelsche, *op. cit.*, 6-7.
12. C.P. Conigrave, *North Australia*, Londen 1936, 170.
13. W.B. Spencer, *Native Tribes of the Northern Territory of Australia*, Londen 1914, 41.

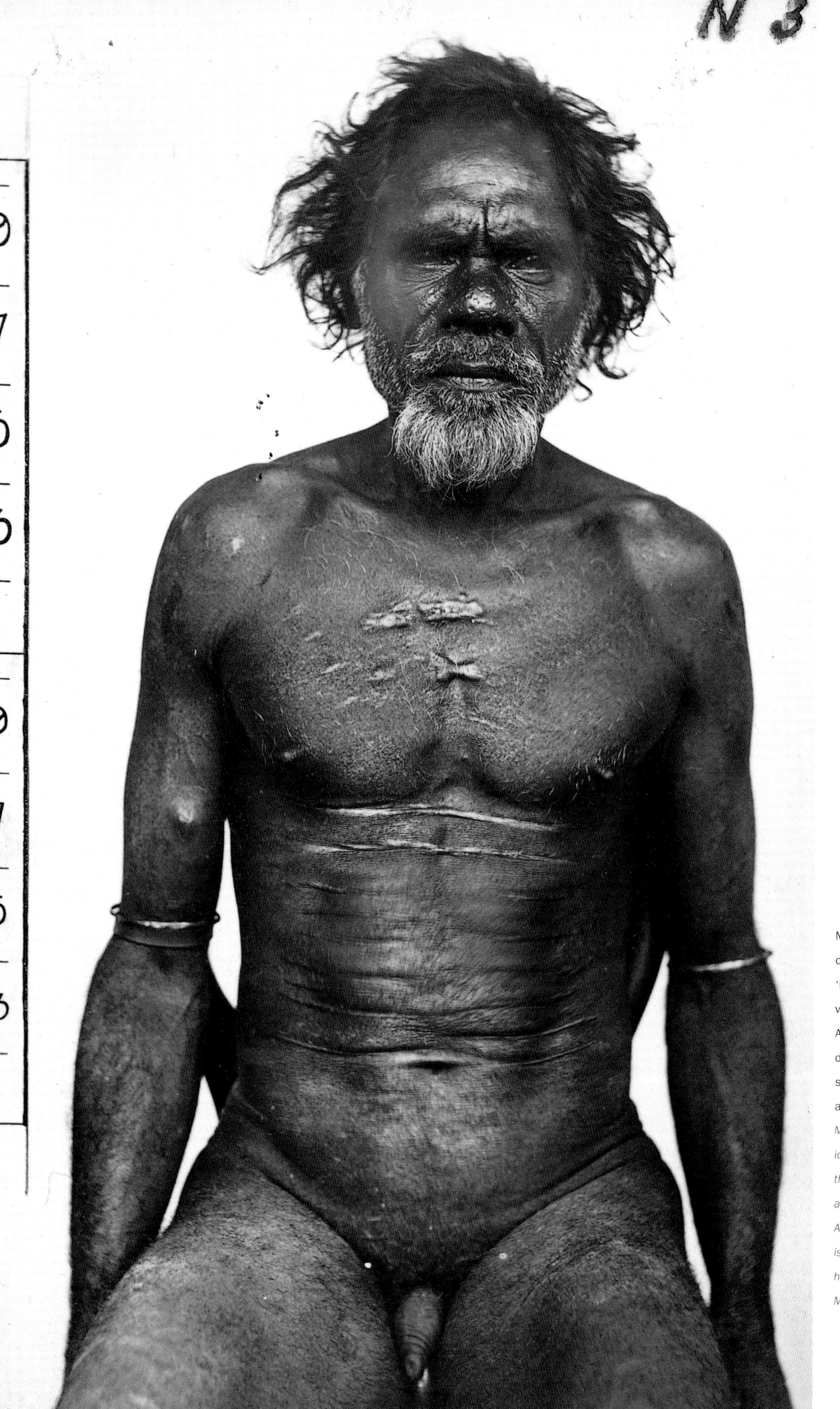

Manningel, een 58-jarige man die volgens Foelsche tot de 'Barrah Tribe' (mogelijk een variant van de hedendaagse Anbara) behoort. Zijn baard-dracht is in Makassaarse stijl en hij draagt twee armbanden. Mei 1879

Manningel, a 58 year-old man identified by Foelsche as of the 'Barrah Tribe' (perhaps a variant of the present-day Anbara people). His beard is cut in Macassan style and he wears two armbands. May, 1879

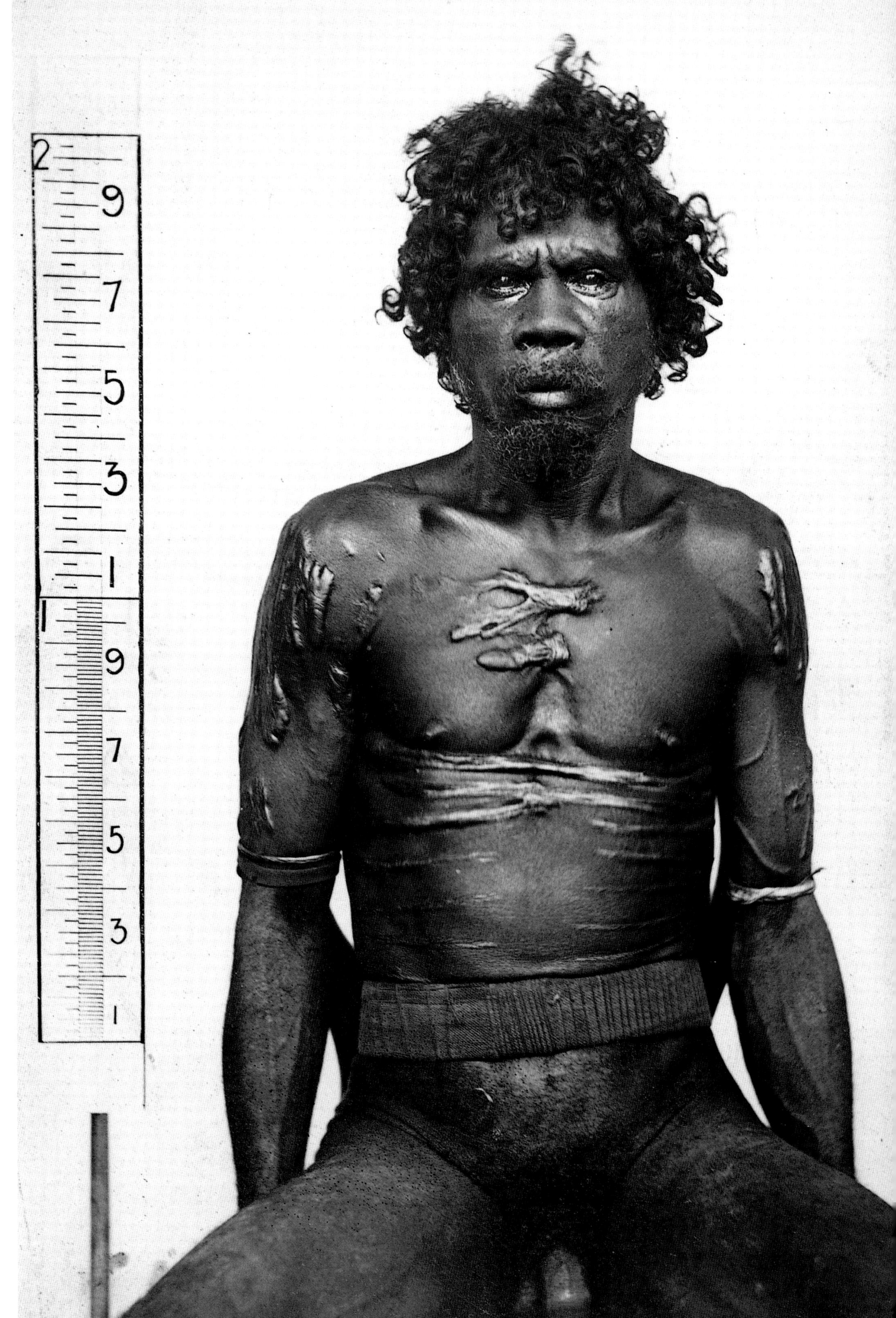

Lialloon, een 40-jarige Woolna man van de Adelaide rivier. Zijn borstkas is rijkelijk van littekens voorzien. Hij draagt twee armbanden en een gordel van boombast omwikkeld met strengen van mensenhaar. Gefotografeerd in mei 1879. Lialloon is dus geboren in het jaar 1839, toen de Woolna zich verzetten tegen het aan land gaan van de Britse bemanning van de Beagle bij Escape Cliffs aan de monding van de Adelaide rivier, waarbij de laatsten ternauwernood wisten te ontsnappen

Lialloon, a 40 year-old Woolna man, from the Adelaide River. His chest is heavily cicatrized and he wears two armbands and a belt of bark, wrapped with human hair string. Photographed in May, 1879. Lialloon thus was born in the year 1839, when the Woolna resisted the landing of British crew from the Beagle at Escape Cliffs at the mouth of the Adelaide River, and gave them a narrow escape

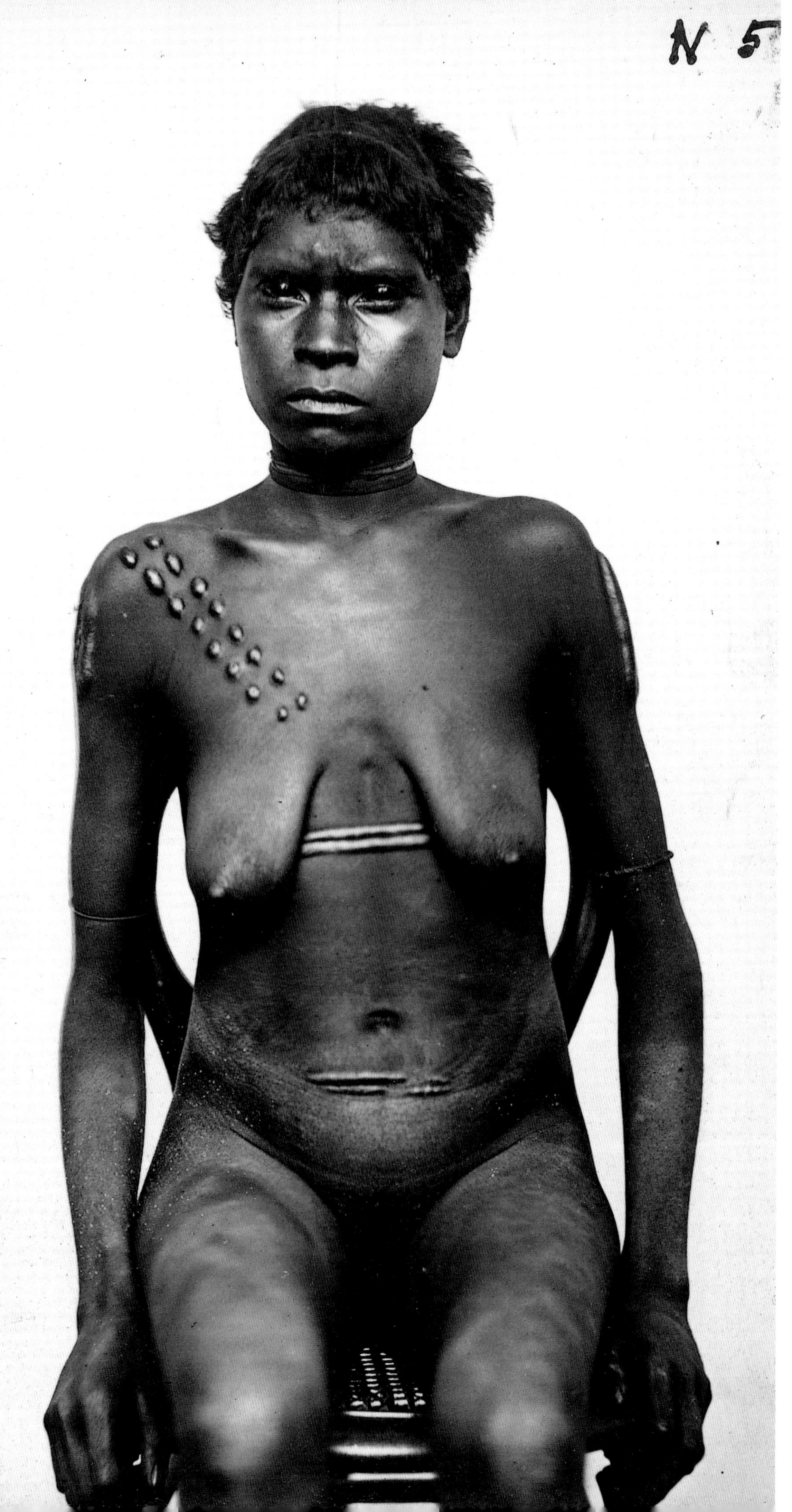

Minnirhama (ook gespeld als Minmirhama), een 27-jarige Woolna vrouw naar de aantekeningen in Leiden, maar volgens de gegevens in Adelaide behoort ze tot de 'Alligator'-stam uit de streek rond de Alligator rivieren ten oosten van Darwin. Ze draagt regelmatige en geprononceerde littekens, die mogelijk diverse stadia die ze in haar ceremoniële en sociale leven heeft doorlopen markeren. Mei 1879

Minnirhama (also spelled as Minmirhama), a 27 year-old Woolna woman, according to the Leyden records, but the Adelaide data state that she is of the 'Alligator' tribe, from the Alligator Rivers region to the east of Darwin. She has regular and pronounced cicatrices, perhaps marking phases of her ceremonial and familial life. May, 1879

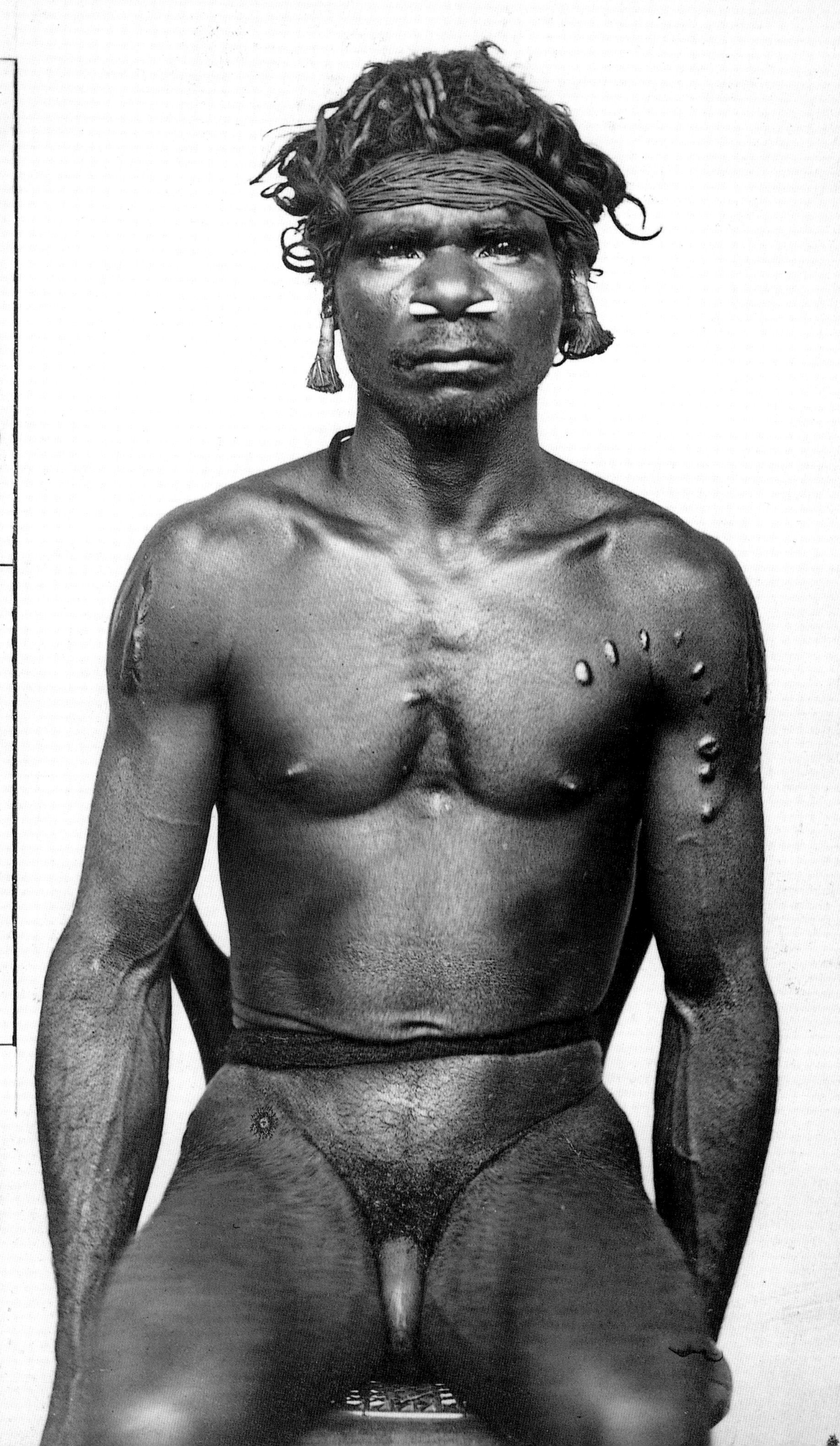

Biliamuk, een Larrakia man van 27 jaar. Diens land omvatte Darwin en omgeving. Hij was een sleutelfiguur in de contacten tussen de kolonisten en zijn mensen. Biliamuk werkte zelfs voor Foelsche als politie-speurder en zat meer dan eens in de gevangenis. Hij werd een van de eerste door Europeanen erkende Aboriginal kunstenaars. Op deze foto draagt hij een hoofdband met kwasten, een neusbot en een ceintuur van haarstrengen. Mei 1879

Biliamuk, a Larrakia man of 27 years whose country included the region of Darwin itself. He was a key intermediary between the colonists and his people, was even employed by Foelsche as a police tracker, and found himself in prison more than once. He became one of the first Aboriginal artists to be recognised by Europeans. In this photograph he is wearing a tasseled headband, nose bone and hair-string belt. May 1879

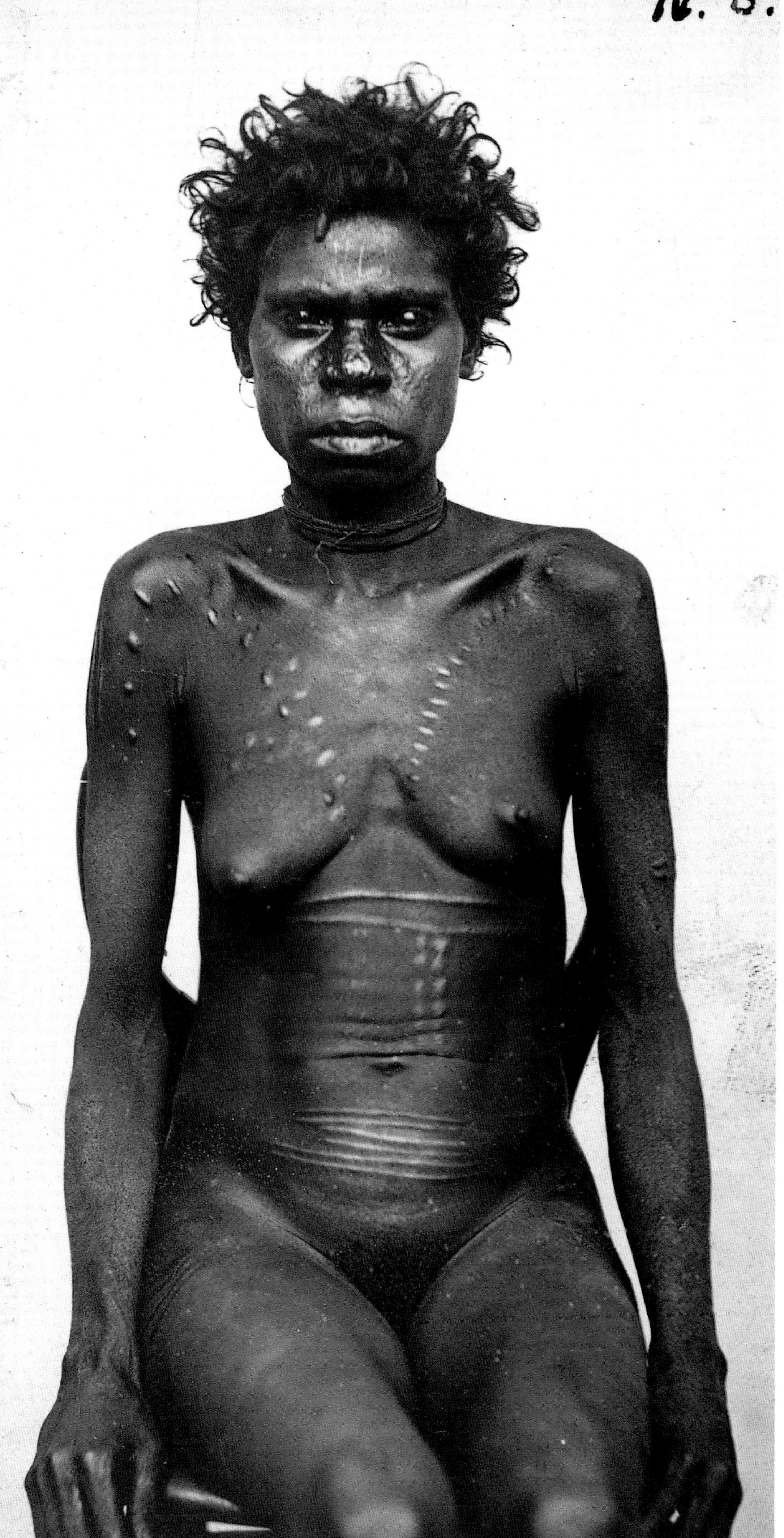

Ballinger, een 28-jarige vrouw van de 'Alligator'-stam. Haar gezicht is mogelijk getekend door pokken. Ze heeft ingewikkelde patronen van littekenweefsel op haar bovenlichaam en draagt een halsband van strengen. Mei 1879

Ballinger, a 28 year-old woman of the 'Alligator' tribe. Her face is possibly marked with smallpox scars. She has complex cicatrice patterns across her upper body and wears a string necklet. May, 1879

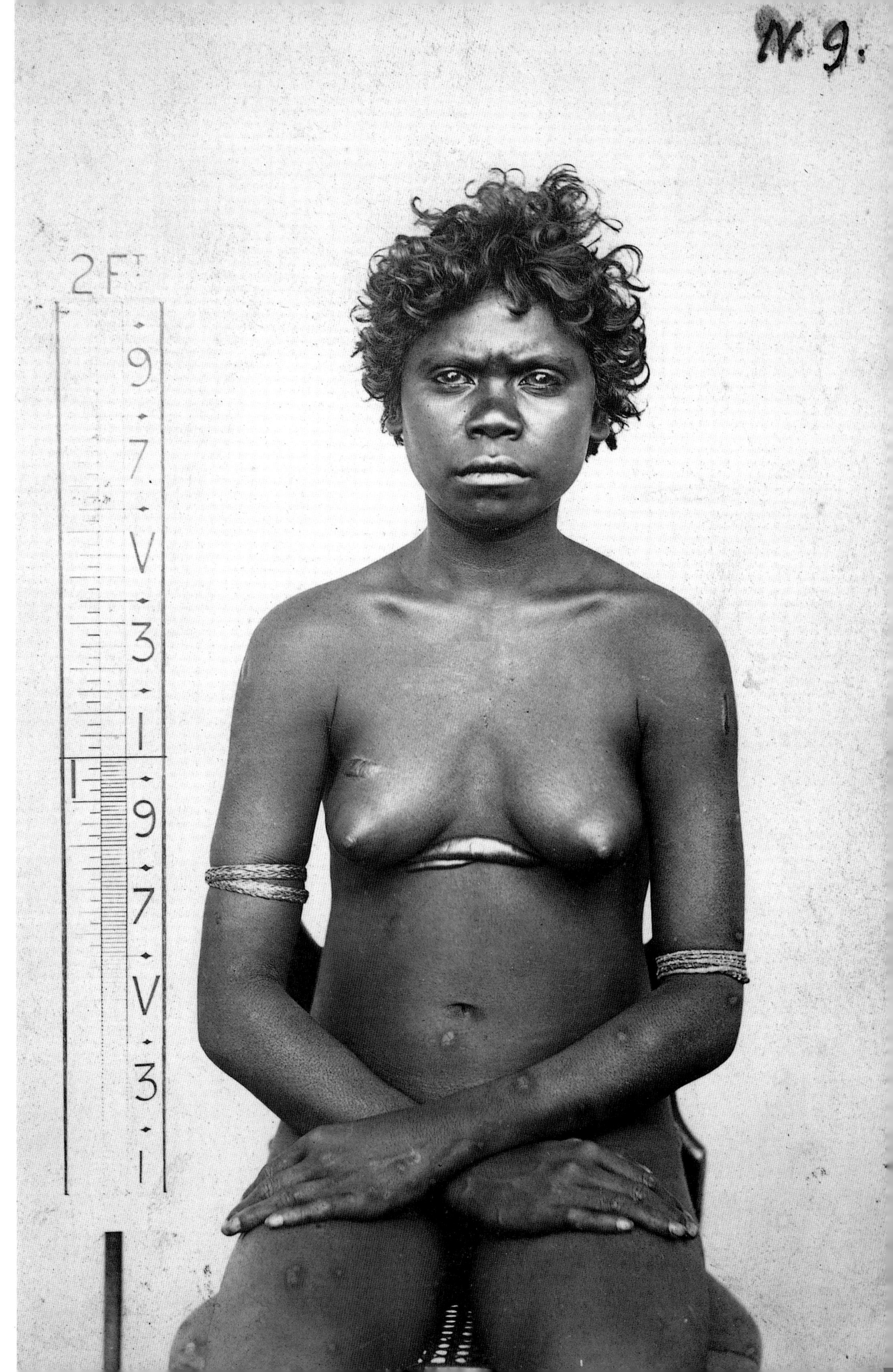

Een ongeïdentificeerde vrouw van ongeveer 20 jaar, die gevlochten armbanden draagt. Naar de meetlat en de stoel te oordelen is ze waarschijnlijk ook in mei 1879 gefotografeerd

An unidentified woman, of about 20 years, wearing plaited armbands. Judging from the scale and the chair, she was probably photographed in May 1879

Johann Büttikofer

(1850 - 1927)

Onderzoeksreizen naar Liberia, 1879-1886

In 1888 koopt het museum een serie foto's aan die Johann Büttikofer in het Afrikaanse Liberia maakte. Büttikofer is dan zoöloog bij het Rijksmuseum voor Natuurlijke Historie in Leiden.
In 1879 onderneemt Büttikofer een eerste onderzoeksreis naar Liberia, vergezeld door de ervaren jager C.F. Sala. Met een karavaan bestaande uit 30 inlandse 'boys' en meer dan 30 dragers trekken zij het binnenland in. Het wordt een reis vol rampspoed en ellende. Zo worden ze achtereenvolgens door de Golah-stam maandenlang in een staat van beleg gehouden, belanden ze in een gebied waar grote hongersnood heerst en worden ze ook door andere inheemse stammen regelmatig lastiggevallen.
Zowel Büttikofer als Sala krijgen bovendien al snel last van de gevreesde tropenkoorts. Sala is er het ergst aan toe met chronische diarree en zweren over zijn hele lichaam. Hij moet achterblijven als Büttikofer verder trekt.
Als deze zich weer bij hem voegt is Sala inmiddels ernstig verzwakt en sterft hij spoedig daarna.
Büttikofer laat zich hierdoor niet uit het veld slaan en zet zijn tochten alleen voort. Maar na een jaar, het is inmiddels 1882, krijgt hij weer heftige koortsaanvallen en dezelfde zweren als Sala. Hij lijdt helse pijn en slaagt erin om in verzwakte toestand terug naar Nederland te reizen en te herstellen. Kort daarna verschijnt zijn reisverslag *Mededeelingen over Liberia.*
In 1886 waagt hij het er weer op, vertrekt naar Liberia om zijn geografisch, zoölogisch en etnografisch onderzoek voort te zetten.
In 1890 verschijnt bij uitgeverij Brill in Leiden zijn *Reisebilder aus Liberia*, een indrukwekkende publicatie in twee delen met daarin vele reproducties van zijn foto's. In deze publicaties schetst Büttikofer onder meer een beeld van de geschiedenis, de politieke situatie, de cultuur en de aard van verschillende inheemse stammen in Liberia. Het land wordt bevolkt door voormalige Amerikaanse negerslaven en hun nakomelingen, Americo-Liberians, die teruggekeerd zijn naar Afrika en daar met steun van de ideële American Colonization Society een nieuw land en leven opbouwen. Ze hebben zich gevestigd in het kustgebied, in de hoofdstad Monrovia en langs de rivieren. De rest van het land wordt bevolkt door inheemse stammen. Tijdens zijn tocht door Liberia verkeert het land in een crisis. Volgens Büttikofer wordt deze onder andere veroorzaakt door de wurgende voorwaarden die Engeland gesteld heeft voor een lening aan Liberia. Maar hij wijt het ook aan de bevolking zelf, waar hij geen hoge dunk van heeft: *"De neger houdt niet van werken, en vindt dus in de vruchten van den arbeid geene rechte bevrediging".*[1]
Liberia heeft zich tegen de zin van Amerika onafhankelijk verklaard en de

Research expeditions to Liberia 1879-1886

In 1888 the Museum purchased a series of photographs made by Johann Büttikofer in Liberia, in Africa. Büttikofer was at the time a zoologist at the National Museum of Natural History in Leiden.
In 1879 Büttikofer had undertaken a first research expedition to Liberia, accompanied by the experienced hunter C.F. Sala. With a caravan consisting of thirty native 'boys' and more than 30 bearers they journeyed into the interior. The expedition was fraught with tribulation and misery. First they were kept under siege for months by the Golah tribe, then ended up in a region undergoing a great famine, and were regularly harassed by other native tribes.
Moreover, before long both Büttikofer and Sala were troubled by the dreaded tropical fever. Sala suffered worst, with chronic diarrhoea and ulcers all over his body. He had to remain behind while Büttikofer pushed on further ahead. Büttikofer returned to find Sala failing quickly, and he died shortly thereafter.
Büttikofer did not let this defeat him, and he continued on alone. But after a year - it was now 1882 - he too experienced violent fever attacks and the same ulcers Sala had had.
He suffered hellish pain, but despite his weakened state succeeded in travelling back to the Netherlands and recovered. Shortly thereafter appeared the report of his journey, Mededeelingen over Liberia.
By 1886 he felt up to returning to Liberia to continue his geographic, zoological and ethnographic research.
In 1890 his Reisebilder aus Liberia *appeared from Brill, in Leiden, an impressive two volume publication with many reproductions of his photographs.*
In these publications Büttikofer sketches the history, political situation, culture and nature of the various native tribes in Liberia. The country was governed by former American black slaves and their descendants, Americo-Liberians, who had returned to Africa to build a new life and country for themselves with the support of the idealistic American Colonization Society. They had settled along the coast, in the capital city Monrovia and along the rivers. The rest of the country was populated by native tribes.
During his travels in Liberia the country was in crisis. According to Büttikofer this was caused by, among other things, the strangling conditions England had imposed for a loan to Liberia. But he also blamed the people themselves, for whom he had no high regard. 'The Black does not like to work, and thus finds in the fruits of labour no true satisfaction.'[1]
Against the will of America, Liberia had declared its independence, and the government of president Roberts

decreed at the time that no white could ever own land or occupy any political office. Slavery was forbidden by Liberian law but practice was different: the Americo-Liberians bought 'boys' from native chiefs, who were then forced to work on their plantations. These several thousand Christian ex-slaves hold the native Blacks in the greatest contempt, Büttikofer wrote.
It would not be until 1936 that forced labour was forbidden and it wasn't until 1951 that the franchise was extended to native landowners. After leaving his function at the Museum in Leiden, Büttikofer became an administrator in Borneo, taking part in an expedition to it's interior in 1893/94 accompanied by Jean Demmeni and A.W. Nieuwenhuis.

1 See: J. Büttikofer: Mededeelingen over Liberia, resultaten van eene onderzoekingsreis door J. Büttikofer en C.F. Sala in de jaren 1879-1882. Leiden, 1883, p. 46.

regering van president Roberts bepaalde daarbij dat een blanke er nooit grond mag bezitten en ook geen staatsambt mag bekleden. Slavernij is in Liberia bij de wet verboden, maar de praktijk is anders: de Americo-Liberians kopen bij de inlandse vorsten 'boys' die gedwongen worden om op hun plantages te werken. De minachting van deze enkele duizenden christelijke ex-slaven voor de inlandse negers is groot, schrijft Büttikofer.
Het zal tot 1936 duren voordat de gedwongen arbeid wordt verboden en tot 1951 tot ook inheemse grondeigenaren stemrecht krijgen.
Na zijn functie bij het museum in Leiden wordt Büttikofer bestuursambtenaar in Borneo en neemt hij daar in 1893/94 deel aan een expeditie naar het centrale binnenland in gezelschap van Jean Demmeni en A.W. Nieuwenhuis.

1 Zie: J. Büttikofer: Mededeelingen over Liberia, resultaten van eene onderzoekingsreis door J. Büttikofer en C.F. Sala in de jaren 1879-1882. Leiden, 1883. p. 46.

Waterval van de Sinoe-River. Liberia, mei 1887. (vermoedelijk rechts J. Büttikofer, links Dhr. Sala)
Waterfall on the Sinoe River. Liberia, May, 1887. (probably J. Büttikofer right, Mr. Sala left)

Hollandse faktorij. Grand Cape Mount, Robertsport. Liberia, 1886

Dutch trading post. Grand Cape Mount, Robertsport. Liberia, 1886

Op het dodeneiland. Graf van een vorst boven de grond. River Cress, Liberia, mei 1887

Island of the dead. Above-ground burial of a ruler. Cress River, Liberia, May 1887

Een geschoten nijlpaard. Rechts het huis van Büttikofer in Hill Town.

Liberia, januari 1887

Trappisten Mission Mariannhill

Het 'Photografisches Atelier' van de Duitse Trappisten Mission Mariannhill in Natal, Zuid-Afrika vanaf 1882

Zulu's in Natal, Zuid-Afrika moeten in 1882 hun ogen hebben uitgekeken als er uit het niets een groep van 31 mannen met lange baarden in pijen in hun gebied opduikt. Zonder een woord te zeggen bouwen zij aan iets groots, van materialen die in grote hoeveelheden uit datzelfde niets aangevoerd worden. De zwijgzame mannen zijn trappisten monniken uit Duitsland die onder leiding van Franz Pfanner een nieuw klooster bouwen. Ooit werd het hier door de Hollanders *Zeekoegat* genoemd, maar de monniken noemen hun plek Mariannhill, naar Maria en haar moeder Anna. Het zijn hardwerkende monniken. Binnen enkele jaren staan er huizen, scholen, werkplaatsen, winkels en loodsen, omringd door akkers en voorzien van straten, bruggen en dammen.[2]
Dankzij een intensieve lobby van Pfanner wonen er binnen vijf jaar ruim 130 monniken in het complex. Ook hun expansiedrift kent geen grenzen.
In een straal van 300 kilometer rond Mariannhill worden grondaankopen gedaan en tal van andere missiestaties gevestigd.
De trappisten en de Zusters van het Kostbaar Bloed, die zich inmiddels bij de monniken hebben gevoegd, stellen hun voorzieningen open voor alle bewoners in de omgeving, zowel de inheemse Zulu's als de nazaten van de blanke Europese kolonisten zijn welkom.
De trappisten raken even snel in een aantal conflicten verzeild. De blanken protesteren tegen het feit dat hun kinderen samen met zwarte kinderen op dezelfde scholen en internaten zitten, de Zululeiders maken bezwaar tegen de grote invloed die de trappisten in het gebied krijgen, en in Europa heeft men inmiddels geconstateerd dat zij zich teveel met missiewerk en te weinig met contemplatie en gebed bezighouden. Een visitator rapporteert dat de zwijgplicht te vaak overtreden wordt, dat de kleding niet volgens voorschrift gedragen wordt en dat zelfs de novicen zich regelmatig buiten het klooster begeven.
De orde zwicht voor de blanke protesten, door te besluiten dat haar voorzieningen voortaan alleen nog openstaan voor de zwarte bevolking. Na het visitatierapport wordt Abt Pfanner geschorst en hij trekt zich in 1893 terug op een van de andere missiestaties.[3] Maar de monniken gaan gewoon door met hun missie: het bekeren van de inheemse zwarte bevolking tot het christendom.
De trappisten weten dat voor het bekeren van mensen meer nodig is dan een kerkdienst. Ze hopen met hun leefwijze – hard werken en veel bidden – respect af te dwingen bij de bevolking en deze voor zich te winnen. Ze bieden medische hulp en onderwijs, zorgen voor armen en wezen en stellen de vele

The German Trappist Mission Mariannhill's 'Photografisches Atelier' in Natal, South Africa since 1882

Zulus in Natal, South Africa must have looked on in astonishment when in 1882 a group of 31 men with long beards in monk's habits appeared as if from nowhere in their territory. Without saying a word they set about building something large, in materials which to a great extent also materialised from nowhere. The silent men were Trappist monks from Germany, who under the leadership of Franz Pfanner were building a new monastery. The site was once called Zeekoegat *by the Dutch but the monks called it Mariannhill, for St. Mary and her mother St. Ann. They were hard working monks. Within several years there were houses, schools, workshops, stores and warehouses, surrounded by fields and provided with streets, bridges and dams.[2] Thanks to Pfanner's intensive promotion efforts, within five years over 130 monks lived in the complex. Nor did their impulse to expand know any limits. In a radius of 300 kilometres around Mariannhill land was purchased and a number of other mission stations were established. The Trappists and the Sisters of the Precious Blood, who had by then also joined the monks, threw open their facilities for all inhabitants of the area; both the native Zulus and the descendants of white European colonists were welcome.*

With equal speed the Trappists became embroiled in controversy. The whites protested against the fact that their children went to the same (boarding) schools as black children. The Zulu leaders objected to the great influence that the Trappists had in the region and back in Europe people were commenting that they seemed to be occupied too much with mission work and too little with contemplation. An official Visitor reported that the obligation to silence was often violated, that their habits were not worn according to the regulations and that even novices were regularly allowed to come and go from the monastery.
The order yielded to white protests, deciding that henceforth its facilities would be open only to the Black population. After the Visitor's report Abbot Pfanner was relieved of his post and withdrew in 1893 to one of the other mission stations.[3]
However the monks carried on with their mission: converting native Blacks to Christianity.
The Trappists knew that conversion requires more than a church service. They hoped that their lifestyle - hard work and a lot of prayer - would command the respect of the people and win them over. They offered medical help and education, cared for the poor and orphans and opened their workshops to anyone who wanted to

know more about their techniques and crafts. There was also day care for children still too young to attend school.
*Several monks were occupied with the study of the language and culture of the Zulus. They wrote articles for professional ethnographic journals (*Anthropos*, for example), and their photographisches Atelier produced many photographs. Already by 1900 Mariannhill had more than 1000 shots of the life of the Kaffirs, as the Zulu were then called.*
In 1899 the National Museum of Ethnology purchased 156 photographs from the Trappists through their representatives in Würzburg. 'Of great importance for ethnography', *says the annual report. The mission print shop produced a booklet with extensive ethnographic descriptions to accompany the photographs, and instructions on how to speak the language. The careful manner in which the population were photographed by the monks in their cultural context bears witness to an empathy that not many researchers in that day were yet ready for. In fact, the monks had for years been practising participatory observation. After all, they lived in the midst of the people, to be sure in their own enclave, but that still distinguished them from other researchers, who seldom set up camp in one place for more than a couple months. In addition to the studio shots, it was especially the snapshot-like photographs and the photo series on customs and rituals that show that the monks were very much on the cutting edge, not only of research into language and culture, but also in regard to photography.*

1 *See: J. Landman.* 100 jaar Mariannhill, 75 jaar St. Paul. *Published by Mariannhill Nederland, Arcen, 1985. (With thanks to Fr. Willemse, Klein Vink, Arcen.)*

2 *See:* Das Trappisten-Missionskloster Mariannhill oder Bilder aus dem afrikansichen Missionsleben. *Freiburg im Breisgau, 1907.*

3 *See: W. Hünermann:* Der Gehorsame Rebel, *Vienna, 1958.*

werkplaatsen voor iedereen open die meer wil weten over hun technieken en ambachten. Er is ook een dagopvang voor de kinderen die nog niet naar school gaan.
Enkele monniken houden zich speciaal bezig met het bestuderen van de taal en cultuur van de Zulu's. Ze schrijven artikelen in etnografische vaktijdschriften (*Anthropos* bijvoorbeeld) en het "Photografisches Atelier" maakt vele foto's. Al voor 1900 beschikt Mariannhill over meer dan duizend opnamen van het leven van de 'Kaffers', zoals de Zulu's dan nog worden genoemd.
In 1899 koopt het Rijksmuseum voor Volkenkunde 156 foto's van de trappisten aan via hun vertegenwoordiging in Würzberg. '*Voor de ethnographie van groot belang*', staat in het jaarverslag. De missiedrukkerij levert een boekje met uitgebreide etnografische beschrijvingen bij de foto's en aanwijzingen voor de uitspraak van de taal. De zorgvuldige wijze waarop de bevolking door de monniken in hun culturele context zijn gefotografeerd getuigt van een inlevingsvermogen waar vele wetenschappers in die periode nog niet aan toe zijn. In feite houden zij zich al bezig met participerende observatie. De monniken leven immers tussen de bevolking, in hun eigen enclave weliswaar, maar dat onderscheidt hen wel van overige onderzoekers, die zelden langer dan enkele maanden op dezelfde plek bivakkeren. Naast de studio-opnamen tonen vooral de snapshot-achtige fotografie en de fotoseries over gewoonten en rituelen aan dat de monniken niet alleen in hun onderzoek naar taal en cultuur zeer bij de tijd zijn, maar ook in fotografisch opzicht.

1 Zie: J. Landman. *100 jaar Mariannhill, 75 jaar St. Paul.* Uitg. Mariannhill Nederland, Arcen, 1985. (Met dank aan pater Willemse, Klein Vink, Arcen)

2 Zie: *Das Trappisten-Missionskloster Mariannhill oder Bilder aus dem afrikanischen Missionsleben.* Freiburg im Breisgau, 1907

3 Zie: W. Hünermann: *Der Gehorsame Rebel*, Wenen, 1958.

Abt Franz Pfanner, in het onderwijsprogramma van Mariannhill, Zuid-Afrika ca. 1890[1]

Abbot Franz Pfanner, in the Mariannhill educational programme, South Africa, ca. 1890[1]

'Men beschouwt de zwarten in Zuid-Afrika, zo schijnt het, slechts als een half mensenras en meent hen als vee te kunnen behandelen. (...) Minachting en laatdunkende behandeling van de zwarten worden bij ons niet geduld.'

Trappist Mission, Mariannhill, South Africa.

'People consider the Blacks of South Africa, so it would appear, only as a half-human race, and think they can treat them like cattle... Contemptuous and condescending treatment of the Blacks is not tolerated among us.'

MARIANNHILL. 1894.
569

Bij de missiemolen van Mariannhill

Near the Mariannhill mission mill

Mariannhill-Süd-Africa
Heidnischer Kraal 1231

Christelijke kraal bij Mariannhill *Christian kraal near Mariannhill*

'Kaffers marcheren altijd in ganzenpas, nooit naast elkaar'

'Kaffirs always march in single file, never in ranks'

Man en vrouw bij de bouw van hun hut

Oogstfeest bij de Amabaca

Harvest celebration among the Amabaca

MARIANNHILL, 1894.

335

Ein Kaffernweib.

600. Drei Kafferburschen.

De kleding, het verven van het gezicht en het masker van twee meisjes voordat ze besneden worden

Clothing, face painting and the masks of two girls before their circumcision

Amabaca-vrouwen

Amabaca women

Frederick Starr

(1858 - 1933)

Amerikaans antropoloog in Zuid-Mexico 1896-1899

Drie maal, in 1896, 1898 en 1899, maakt Frederick Starr, Amerikaans antropoloog, een reis te paard door Zuid-Mexico om verschillende indianenstammen te onderzoeken. Fotograaf **Charles B. Lang** uit Bluff City (Utah) vergezelt hem op alle reizen, fotograaf **Bedros Tartarian** alleen op de laatste. Starr is als antropoloog vooral geïnteresseerd in de fysieke kenmerken van deze Indianen.
Starr constateert dat er 13 verschillende stammen in dit gebied leven. Per stam neemt hij de maten op van 100 mannen en 25 vrouwen. De vrouwen zijn minder favoriet omdat ze volgens Starr onderling meer op elkaar lijken en zich in deze omstandigheden vaak lastig gedragen. Bovendien, zo schrijft hij: '*...when secured, they are less easily measured, on account of stubbornness, stupidity, or fear*'
Volgens de aanwijzingen van Starr maken Lang en Tartarian 50 à 60 foto's per stam. Ze maken vier soorten foto's: portretten *en face* en *en profil*, groepsportretten ten voeten uit, overzichtfoto's en foto's van het dagelijks leven. Daarnaast laat Starr gipsen afgietsels maken van bustes van enkele indianen.
Uit de serie van ongeveer 600 portretfoto's selecteert hij 30 duo-portetten: 23 mannen verdeeld over alle dertien stammen en 7 vrouwen.
Van deze selectie duo-portretten laat hij exact levensgrote platinum-afdrukken maken in een oplage van 50. Hij schenkt deze series aan de belangrijkste volkenkundige musea, waaronder het museum in Leiden.
Dat fotografie voor Starr een belangrijke onderzoeksmethode is blijkt uit zijn album *Indians of Southern Mexico. An ethnographic album* uit 1899.
Dit bijzondere album (560 gesigneerde exemplaren) bevat een grote selectie originele foto's van de in totaal ruim 700 opnamen van Lang en Tartarian. Het Rijksmuseum voor Volkenkunde beschikt over nummer 181. Dit album komt eerst abusievelijk in de bibliotheek van de Koningin terecht, vandaar dat het een koninklijke stempel heeft, en vervolgens wordt het in 1901 overgedragen aan het museum. In het album zijn de meeste foto's spiegelverkeerd afgedrukt. Niet per vergissing, maar ten gevolge van het gehanteerde reproductieproces. '*As this reversion makes no serious difference in portraits, groups and views, it was hardly considered necessary to go to extra expense in preventing it.*' schrijft Starr.
Een volgend fotografie album publiceert hij in 1912 na een onderzoeksreis door Congo. Starr is daarmee een van de eerste antropologen die dit gebied doorkruist.

American anthropologist in Southern Mexico 1896-1899

Three times, in 1896, 1898 and 1899, Frederick Starr, the American anthropologist journeyed by horseback through southern Mexico to do research on various Indian tribes. Photographer **Charles B. Lang**, *from Bluff City, Utah, accompanied him on all the trips, and photographer* **Bedros Tartarian** *only on the last.*
As an anthropologist, Starr was chiefly interested in the physical characteristics of the Indians.
Starr ascertained that thirteen different tribes lived in this region. He took measurements of 100 men and 25 women from each tribe. The women were less favoured because according to Starr they differed less one from another, and were often more inclined to exhibit difficult behaviour under these circumstances. As he wrote, '...when secured, they are less easily measured, on account of stubbornness, stupidity, or fear.*' On Starr's instructions Lang and Tartarian made fifty to sixty photographs per tribe. These photographs were of four kinds: portraits* en face and profile, *full length group portraits, survey photographs and pictures of daily life. In addition Starr had plaster casts made of the breasts of several Indians.*
From the series of about 600 portrait photographs he selected 30 double portraits: 23 men, divided among all thirteen tribes, and seven women. He had an edition of 50 life-size platinum prints made of this selection of double portraits, which he presented to the most important ethnological museums, among them the Museum in Leiden.
That photography was an important research tool for Starr can be seen in his album Indians of Southern Mexico. An ethnographic album, *1899.* This extraordinary album, *in 560 signed copies, contained a large selection of original photographs from the total of over 700 shots done by Lang and Tartarian. The National Museum for Ethnology owns number 181. This album arrived at the Royal Library by mistake (which explains the royal stamp), and subsequently in 1901 was passed on to the Museum. Most of the photographs in the album are printed in mirror image; this is not an error but a consequence of the reproduction process used.* 'As this reversion makes no serious difference in portraits, groups and views', wrote Starr, 'it was hardly considered necessary to go to extra expense in preventing it.'
He published a further photographic album in 1912, after a research expedition through the Congo. Starr was among the first anthropologist to cross this region.

In January, 1904, Starr made a special trip to Japan, but this time accompanied by the young Mexican

*photographer **Manuel Gonzales**. The purpose was to collect a number of members of the Ainu people for the International Exhibition to be held that year in St. Louis, where many 'primitive' people would be exhibited live. The Ainu lived in isolation from other Japanese. They seldom or never left their territory, which means that even for many Japanese they were an almost unknown group. Particularly the men's wild hair growth and the blue-green tattoos on the upper and lower lips of the girls and women, which makes it appear as if they have a beard and mustache, made them very exotic to Western eyes. When after three weeks Starr and Gonzales arrived in Japan, the Russo-Japanese war broke out, which created problems in travelling to the northern island of Hokkaido, where the Ainu lived.*
Thanks to the persuasive powers of a missionary who had lived a long time on Hokkaido, Starr ultimately succeeded in taking nine Ainu, seven adults and two children, back to St. Louis. Their baggage included all of their possessions and an Ainu house, which Starr had had dismantled so that the group could rebuild it in St. Louis. Starr wrote a report of this trip, and included in it a description of this Ainu group. This booklet was sold as a souvenir at the St. Louis Exhibition, near the Ainu exhibit.

In januari 1904 maakt Starr een bijzondere reis naar Japan, dit maal vergezeld door de jonge Mexicaanse fotograaf **Manuel Gonzales**. Het doel is: het verzamelen van een aantal leden van de Ainu-stam voor de Wereldtentoonstelling die dat jaar in St. Louis gehouden zal worden en waar vele 'primitieve' volken *live* tentoongesteld zullen worden. Deze Ainu leven geïsoleerd van andere Japanners. Ze verlaten zelden of nooit hun gebied, waardoor ze ook voor Japanners een vrijwel onbekende groep zijn. Vooral de wilde haargroei van de mannen en de blauw-groene tatoeages van de meisjes en vrouwen op hun boven- en onderlip, waardoor het lijkt alsof zij ook baarden en snorren hebben, maakt hen in westerse ogen zeer exotisch.
Als Starr en Gonzales na 3 weken in Japan arriveren, breekt de oorlog tussen Japan en Rusland uit, wat problemen oplevert bij het reizen naar het noordelijke Hokkaido waar de Ainu leven.
Dankzij de overtuigingskracht van een missionaris die al lang op Hokkaido leeft, slaagt Starr er uiteindelijk in om 9 Ainu, 7 volwassenen en 2 kinderen, mee te krijgen op reis naar St. Louis. Hun bagage bestaat uit al hun bezittingen en een Ainuhuis, dat Starr heeft laten ontmantelen zodat de groep dit zelf in St. Louis kan opbouwen. Starr schrijft een verslag van deze reis en geeft daarin ook een beschrijving van deze Ainugroep. Dit boekje wordt als souvenir verkocht op de St. Louis Exposition bij het verblijf van de Ainu.

Bibliografie/ *Bibliography*

F. Starr: *Indians of Southern Mexico*. Chicago, 1899
F. Starr: *The Physical Characters of the Indians of Southern Mexico*. Chicago, 1902
F. Starr: *The Ainu groupe of the St. Louis Exposition*. Chicago, 1904
F. Starr: *Congo natives: an Ethnographic Album*. 1912
Eric Breitbart: *A World on Display. Photographs from the St. Louis World's Fair 1904*. University of New Mexico Press, 1997.

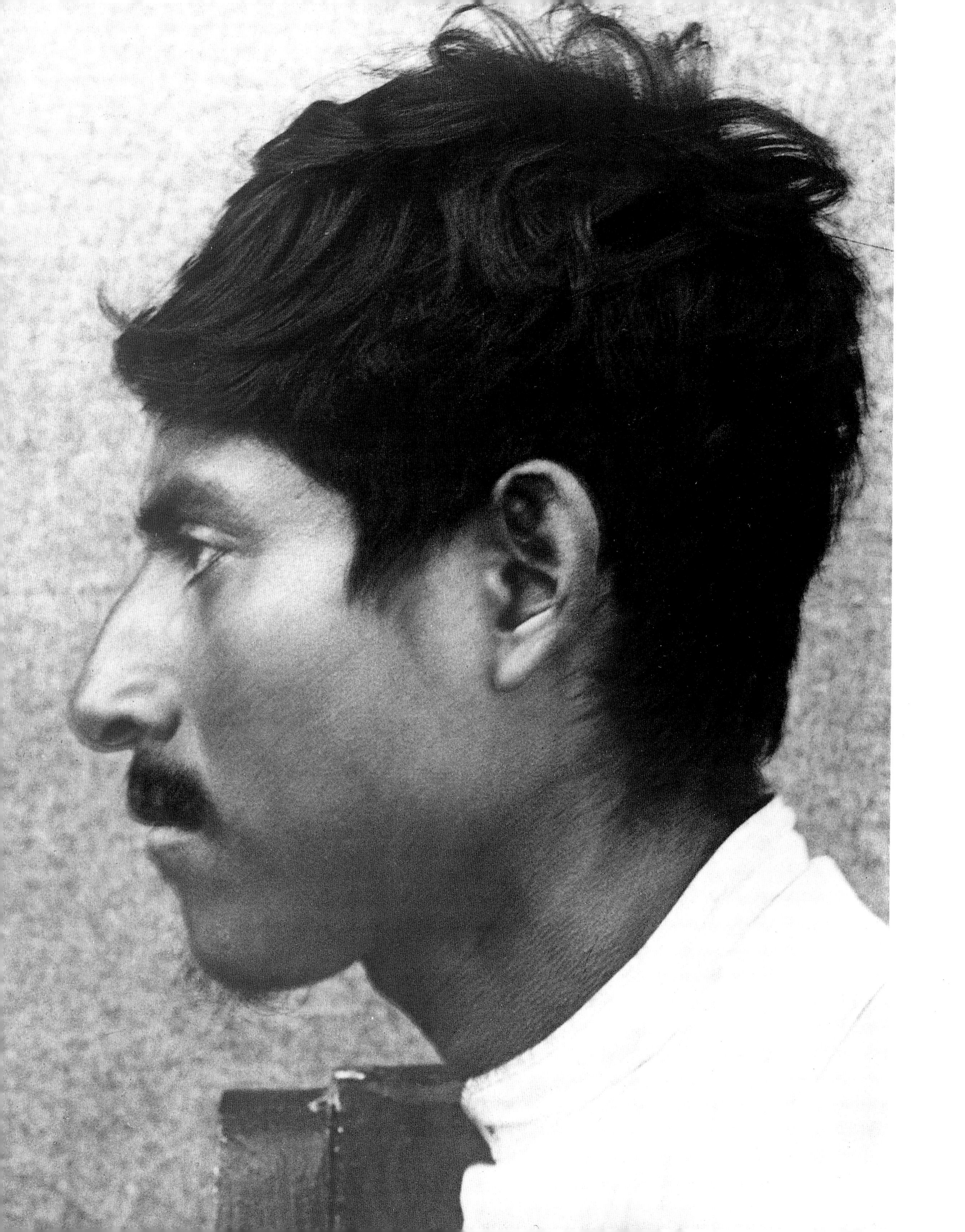

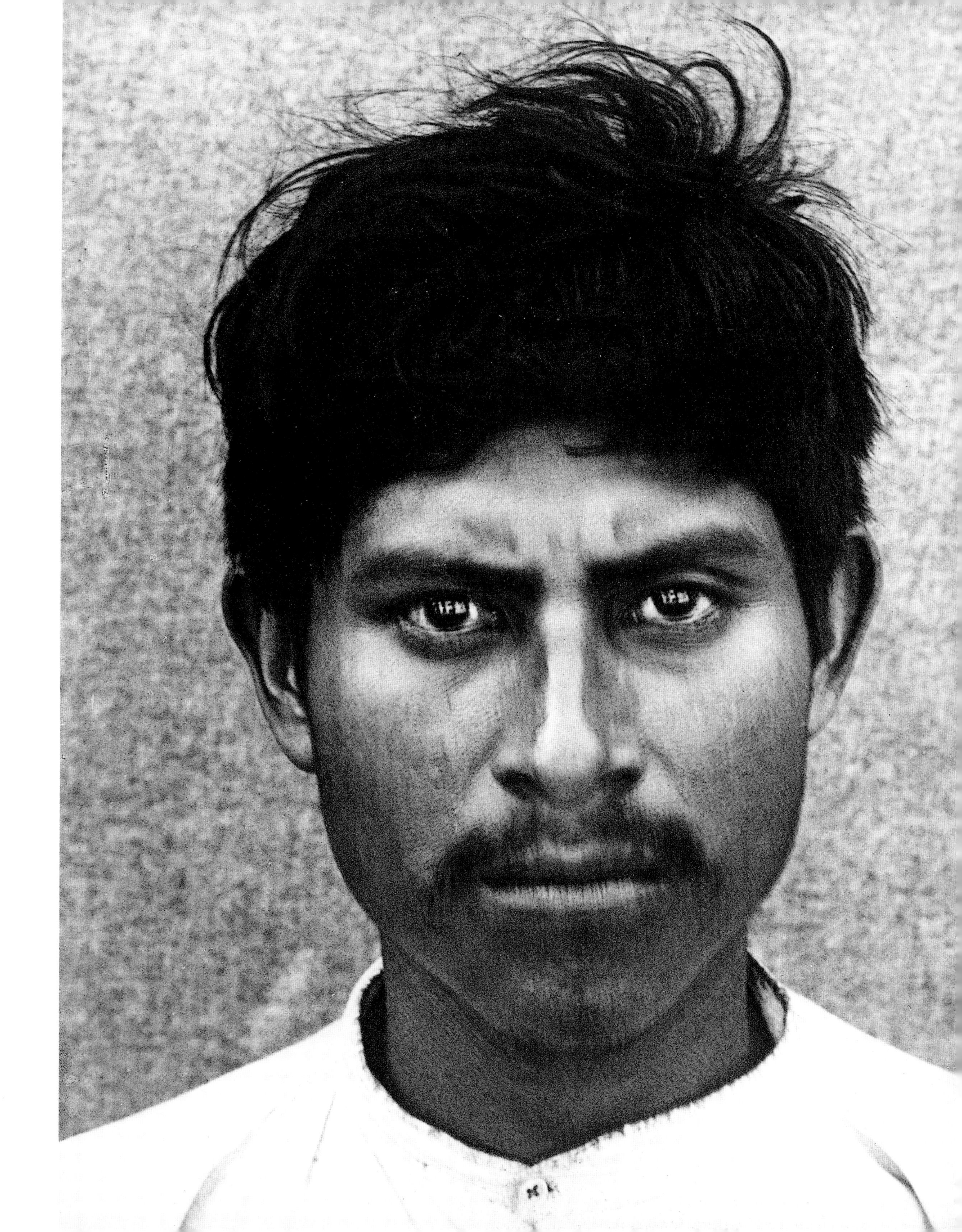

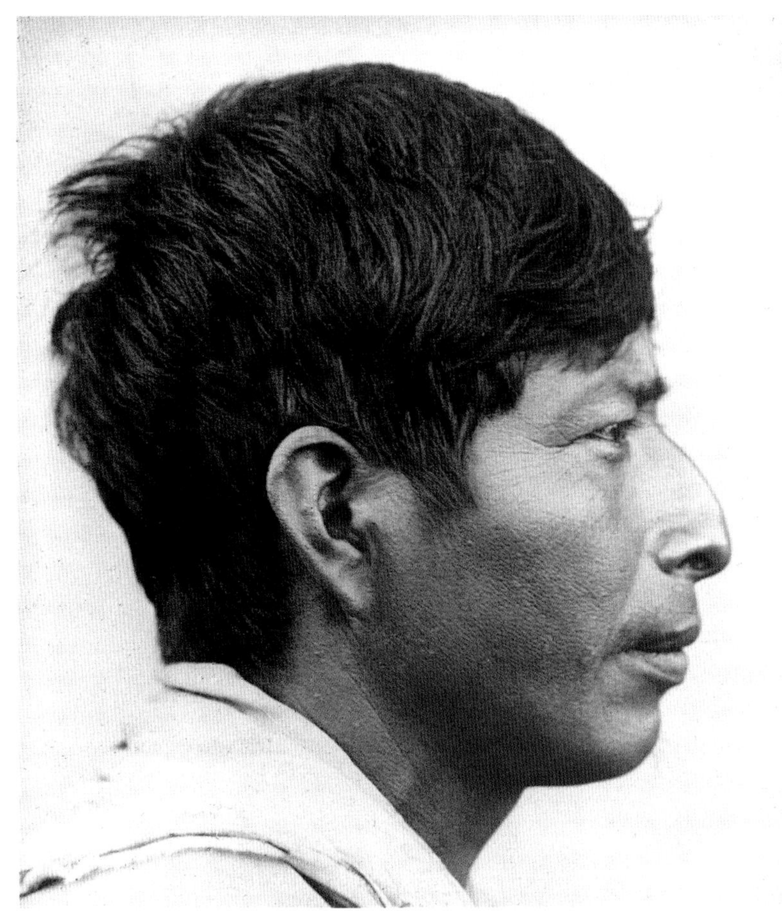
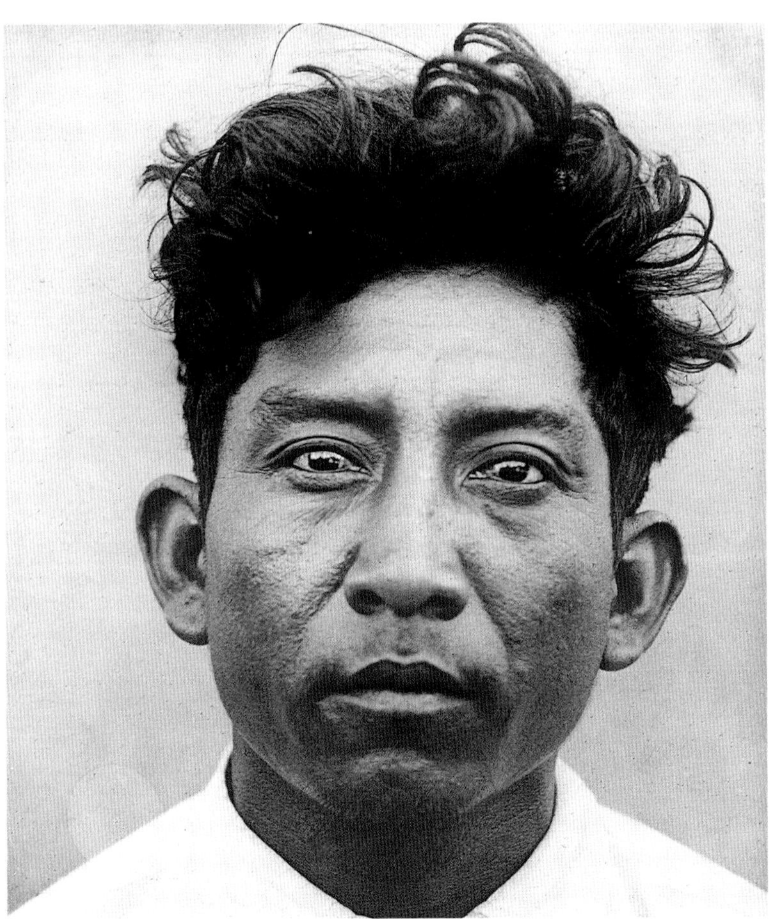
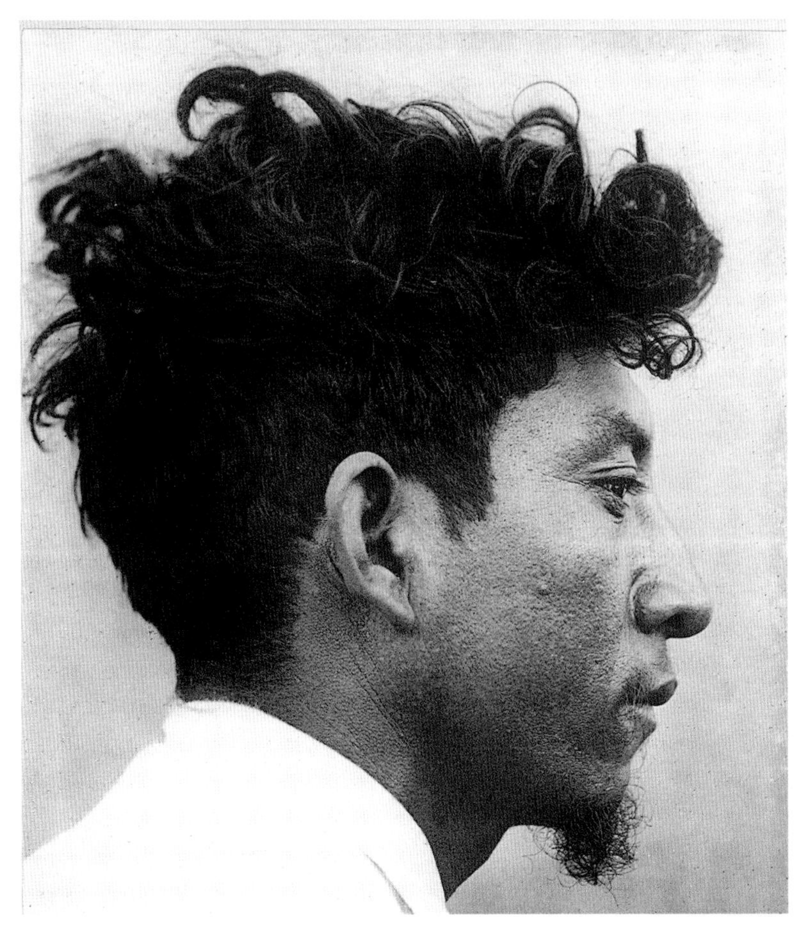

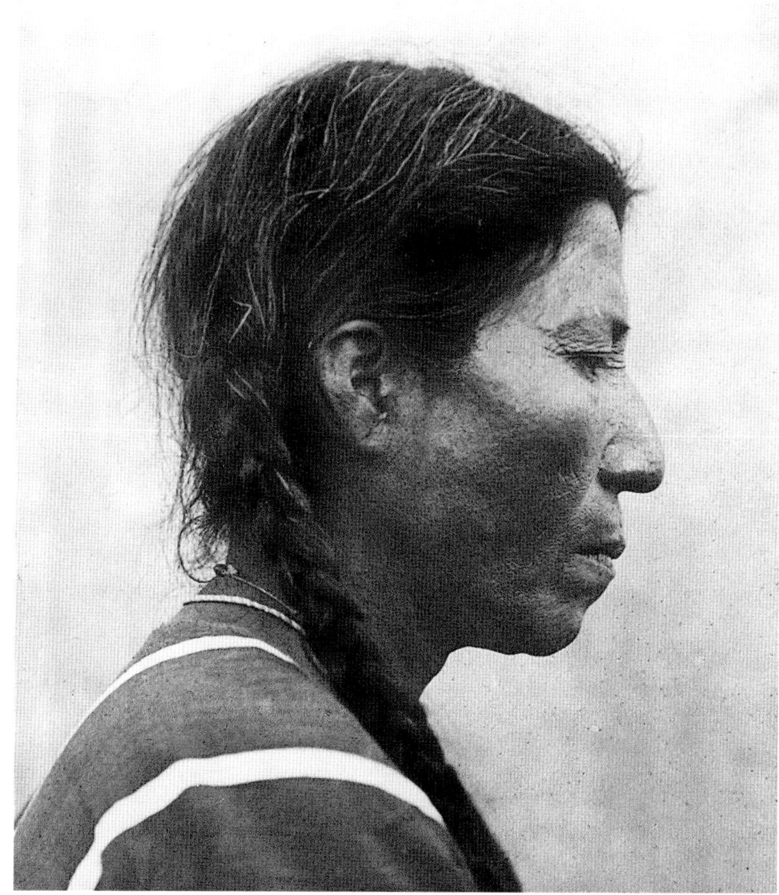

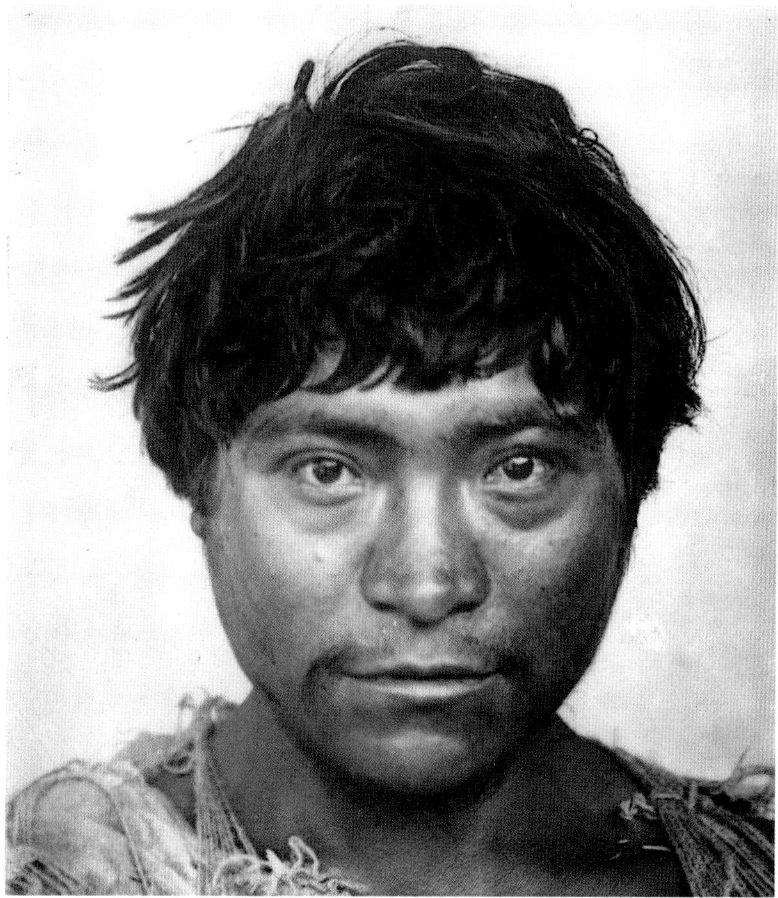

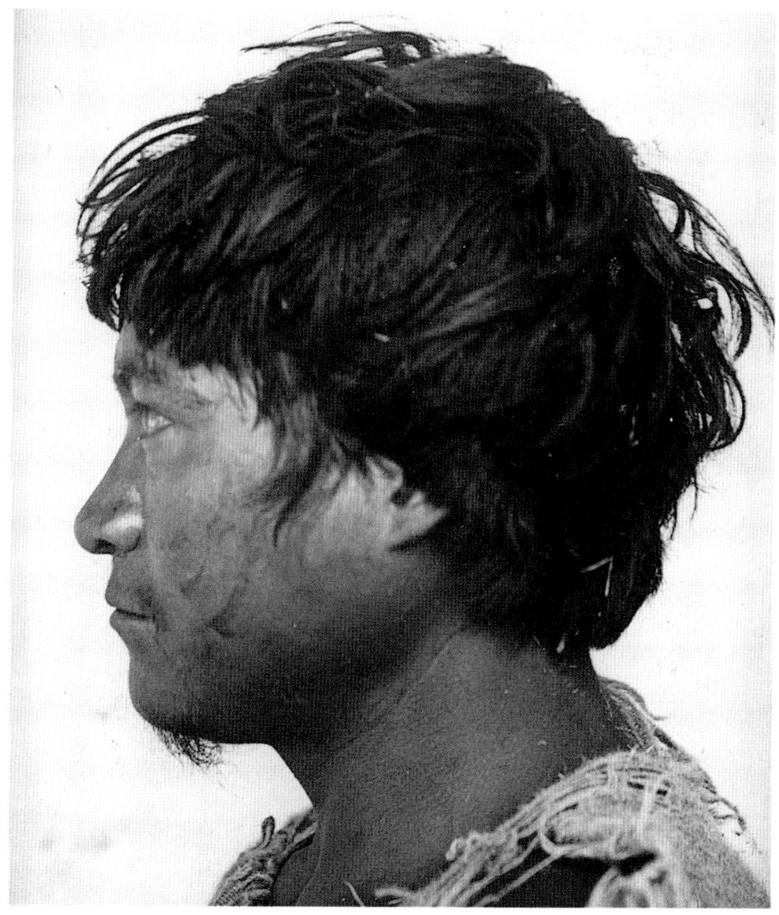

Zapotec, Santiago Guevea

Groep Triquis. Chicahuastla

Group of Triquis. Chicahuastla

Juava vrouw en kinderen

Juave woman and children

Onnes Kurkdjian

(1851 - 1903)

Russisch fotograaf in Java van 1884-1903

Kurkdjian is waarschijnlijk in Rusland geboren als zoon van Armeense ouders. Op grond van de historische feiten mogen we aannemen dat zijn ouders kort daarvoor uit Anatolië gevlucht waren, het oorspronkelijke woongebied van de Armeniërs in het huidige Turkije. Armenië had als eerste natie in 301 het christendom als staatsreligie geadopteerd. Vanwege een door de jaren heen onverdraaglijk geworden sociale en economische discriminatie voelen veel Armeniërs zich vanaf de tweede helft van de 19de eeuw genoodzaakt om hun woongebied te verlaten. Kurkdjian en zijn ouders ontsnappen zo aan de deportaties en genocide van 1895 en 1915-1918, waarvan naar schatting 1,7 miljoen Armeniërs het slachtoffer werden.

Veel weten we niet over Onnes Kurkdjian. In Tbilisi (hoofdstad van het huidige Georgië) heeft hij waarschijnlijk een fotografie- en/of kunstenaarsopleiding gevolgd. Misschien heeft hij daar ook de al oudere Russische fotograaf Dmitri Ermakov en Antoine Sevruguin, zoon van een uit Teheran gevluchte Armeense moeder, ontmoet.

In 1884 arriveert Onnes Kurkdjian na omzwervingen door Europa in Java. We weten dat hij daar in ieder geval vanaf 1890 in Soerabaja een fotostudio heeft. Naast portretten maakt hij vooral opnamen van het Indonesische landschap, waarbij de actieve vulkanen – de Bromo, Smeroe en Keloet – een bijzondere aantrekkingskracht op hem uitoefenen. Samen met zijn assistent en latere compagnon George P. Lewis fotografeert hij met een fabelachtige techniek maanlandschappen met diepe kraters en rokende vulkaantoppen.[1]

In 1901 vraagt de Nederlandse regering hem om een fotoserie te maken over de uitbarsting van de vulkaan Keloet. De eerste eruptie was 's nachts op 22 mei begonnen. Kurkdjian arriveert op 6 juni tegelijk met de geologen Homan van der Heide en Der Kinderen in het moeilijk toegankelijke gebied. Hij maakt een aantal spectaculaire foto's die na zijn dood gepubliceerd worden in het album *Geweldige Natuurkrachten* van G. Vissering. Het album wordt 'als voorbeeld van druk- en reproductiekunst uit onze Koloniën' ingezonden voor de Wereldtentoonstelling in Brussel in 1910.[2]

In 1903 sterft Kurdjian op vrij jonge leeftijd. Zijn bedrijf wordt voortgezet door zijn compagnon Lewis onder de naam 'Maatschappij ter exploitatie van het Photographisch Atelier Kurkdjian'. De naam van Kurkdjian blijft tot 1935 verbonden aan de zaak, ook als deze in 1915 overgenomen wordt door Helmig & Co, importeurs van farmaceutische producten.

1 Zie: *Views of Netherlands India. Series Tosari*. Kurkdjian Ltd, Sourabaya, Java, z.j.

2 Zie: Mr. G. Vissering: *Geweldige Natuurkrachten*. Uitg. G.Kolff & Co/Landsdrukkerij/ J.H. de Bussy, Batavia/Amsterdam 1910

Russian Photographer in Java 1884-1903

Kurkdjian was probably born in Russia, the son of Armenian parents. On the basis of historical facts we can assume that they had fled there from Anatolia, the original homeland of the Armenians in present-day Turkey, shortly before his birth. Armenia had been the first nation to adopt Christianity as its state religion, in 301 A.D. Because of social and economic discrimination which became unbearable through the years, by the beginning of the second half of the 19th century many Armenians felt themselves compelled to leave their homeland. Kurkdjian and his parents thus escaped the deportations and genocide of 1895 and 1915-1918, which claimed an estimated 1.7 million Armenian victims.

We do not know much about Onnes Kurkdjian. In Tbilisi, the capital of present-day Georgia, he apparently received training as a artist and/or photographer. Perhaps here he met the already older Russian photographer Dmitri Ermakov and Antoine Sevruguin, son of an Armenian mother who had fled from Teheran. After wanderings around Europe, in 1884 Onnes Kurkdjian arrived in Java. We do know that in 1890 he had a photo studio in Surabaya.

In addition to portraits he chiefly took photographs of the Indonesian landscape, in which the active volcanoes - Bromo, Semeru and Kelut - seemed to have a peculiar fascination for him. Together with his assistant and later partner George P. Lewis, and a fabulous technique he photographed lunar landscapes of deep craters and smoking volcanic peaks[1].

In 1901 the Dutch government asked him to make a photographic serie of the eruption of the Kelut volcano. The first eruptions began on the night of May 22. Kurkdjian arrived in the inaccessible region on June 6, together with the geologists Homan van der Heide and Der Kinderen. He made a number of spectacular photographs which were published after his death by G. Vissering in the album Geweldige Natuurkrachten. *The album was submitted to the International Exposition in Brussels[2] in 1910 as 'an example of the printing and reproduction techniques from our colonies.'*

Kurkdjian died in 1903 at a rather early age. His business was continued by his partner G.P. Lewis under the name 'Maatschappij ter exploitatie van het Photographisch Atelier Kurkdjian.' The name Kurkdjian remained connected with the firm until 1935, even after it was taken over by Helmig & Co, pharmaceutical importers, in 1915.

1 *See:* Views of Netherlands India. Series Tosari. *Kurkdjian Ltd., Sourabaya, Java, n.d.*

2 *See G. Vissering:* Geweldige Natuurkrachten. *Uitg. G. Kolff & Co./ Landsdrukkerij/J.H. de Bussy, Batavia/ Amsterdam, 1910.*

Gezicht vanuit Kola dalemm

View from Kola dalem

Kust bij Banjoewangi

Coast near Banjuwangi

Weg naar Banjoewangi

Road near Banjuwangi

Kust Madoera

Coast of Madura

Bromo trap

Bromo stairs

FOTO-KURKDJIAN-SOERABAIA
Nº 7

Kapokbewerking

Processing kapok

Verkoopsters langs de weg

Roadside vendors

Zeegezicht Celebes

Sea view Celebes

Casimir Zagourski

(Kazimierz Zagórski 1883 - 1944)

Poolse vluchteling in Belgisch Congo van 1924-1944

Het is opmerkelijk hoeveel Europese vluchtelingen – zij die door oorlog of vervolging hun eigen land hebben verlaten – zich in de decennia voor en na 1900 als fotograaf vestigen in een andere hoek van de wereld. Fotografie is blijkbaar een aantrekkelijk vak voor deze nieuwe bewoners van – meestal – koloniale gebieden.

Kazimierz Zagórski wordt in Polen geboren in 1883. We treffen zijn achternaam ook wel aan als d'Ostoja Zagórski, waarmee zijn hoge adellijke afkomst wordt aangeduid.

De Eerste Wereldoorlog, de Russische Revolutie en het communistisch bewind in Polen grijpen diep in zijn leven in. Nadat hij als kolonel in de Russische luchtmacht en als reserveofficier van de Poolse krijgsmacht heeft gediend, ontvlucht hij zijn land uiteindelijk totaal geruïneerd kort voor of vlak na het einde van de oorlog.

In 1924 duikt hij op in Léopoldville, de stad die in 1929 tot hoofdstad van Belgisch Congo in centraal Afrika verklaard wordt. Hij opent hier een naar zijn eigen zeggen 'cinefotografische' studio waar met de modernste apparatuur gewerkt wordt.[1]

Vanaf 1929 trekt Casimir Zagourski – hij heeft zijn naam inmiddels verfranst – door de binnenlanden van Congo en omringende landen. Hij heeft een grote belangstelling voor de culturen in centraal Afrika en stelt zich ten doel om de belangrijkste vast te leggen. Hij fotografeert de op dat moment gangbare antropologische thema's. Behalve uiterlijke kenmerken als kapsels, lichaamsversieringen, littekentatoeages, kunstmatige schedeldeformaties en schotellippen fotografeert hij gebruiksvoorwerpen, wapens, speciale dansen en rituelen. In zijn ogen zijn deze volken nog niet door 'de beschaving' van de kolonisators beïnvloed, maar zal dat weldra gebeuren en voor die tijd wil hij deze in zijn ogen authentieke culturen documenteren.

Een groot deel van deze fotografie wordt gepubliceerd en verspreid in de vorm van fraai gedrukte series ansichtkaarten met als titel: *l'Afrique qui disparaît. Receuil documentaire sur le Congo Belge, le Ruanda-Urundi, l Áfrique Equatoriale Française, le Tanganyika*. Veel mensen in en buiten Europa moeten zodoende foto's van Zagourski hebben gezien.

Hij kent de macht van het beeld en hij weet hoe belangrijk een adequate propaganda voor het koloniale beleid voor de Belgische overheid is. Hij biedt aan om foto's en films te maken over de vooruitgang in Congo die dankzij de Belgische inspanningen tot stand is gekomen, en doelt daarbij vooral op de koloniale tentoonstelling die in 1930 in Antwerpen gehouden zal worden.

A Polish refugee in Belgian Congo 1924-1944

It is remarkable how many European refugees - whether they left their own countries because of war or persecution - established themselves as photographers in another corner of the world in the decades around 1900. Photography was apparently an attractive profession for these new residents in - usually - colonial regions.

Kazimierz Zagórski was born in Poland in 1883. We also find his last name given as d'Ostoja Zagórski, which would indicate descent from high nobility. World War I, the Russian Revolution and the communist regime in Poland radically affected his life. He served as a colonel in the Russian air force and as a reserve officer in the Polish army, ultimately fleeing his country totally ruined shortly before or after the end of the war. In 1924 he surfaced in Léopoldville, the central African city which was declared the capital of the Belgian Congo in 1929. Here he opened what he himself termed a 'cinefotographic' studio where he worked with the most modern equipment.[1]

In 1929 Casimir Zagourski (he had in the meantime Gallicised his name) travelled through the interior of the Congo and surrounding countries. He had considerable interest in the cultures of Central Africa, and set the goal for himself of recording the most important of them. He photographed the anthropological themes which were current at the time. In addition to physical characteristics such as hair styles, body decoration, scarification, artificial skull deformities and saucer lips he photographed utensils, weapons, special dances and rituals. In his eyes, these peoples were not yet influenced by the 'civilisation' of the colonisers, but that would happen, and before it did he wanted to document these - in his eyes - authentic cultures.

A large part of his photography was published and distributed in the form of a beautifully printed series of picture postcards entitled L'Afrique qui disparaît. Receuil documentaire sur le Congo Belge, le Ruanda-Urundi, l'Afrique Equatoriale Française, le Tanganyika. *Through these, many people in Europe and on other continents must have seen Zagourski's photographs.*

He knew the power of the image, and he knew how important adequate propaganda was for the colonial policy of the Belgian government. He offered to make photographs and films about progress in the Congo which had taken place thanks to the Belgians efforts, aiming primarily at the colonial exhibition that was to be held in Antwerp in 1930. His offer was accepted and his work was also

Een Mutudzi vrouw (Ruanda)

A Mutudzi woman (Rwanda)

Zijn aanbod wordt geaccepteerd en zijn werk is ook te zien in het Belgische paviljoen van de wereldtentoonstelling in Parijs van 1937. In deze jaren publiceert hij ook met een zekere regelmaat in het tijdschrift *L'Illustration Congolaise*. Aangespoord door onder andere het door koning Leopold gestichte Africa Museum in Tervuren (bij Brussel) en gesteund door de Belgische overheid reist hij in 1937 weer door Congo om zijn werk voort te zetten. Door problemen met zijn gezondheid moet hij stoppen met dit documentatieproject en waarschijnlijk heeft hij hierna nauwelijks meer gefotografeerd.
Na een kort verblijf in Polen in 1940 en enige omzwervingen door Europa, keert hij weer terug naar Léopoldville, waar hij in 1944 overlijdt.[2]

1 Gegevens voornamelijk gebaseerd op: F. Morimont: *Casimir Zagourski*. In: Photographes de Kinshasa. Revue Noire, Paris, (te verschijnen in) 2001.

2 In een recente publicatie over Zagourski worden (o.a.) afwijkende geboorte- en sterfdata genoemd. Zie: P. Loos: *Zagourski. Lost Worlds*. SKIRA, 2001. Hier wordt gesproken van respectievelijk 1880 en 1941.

to be seen in the Belgian pavilion of the World's Fair in Paris in 1937. In these years he also published with a certain regularity in the journal L'Illustration Congolaise. *Encouraged by, among others, the Africa Museum founded in Tervuren near Brussels, by King Leopold, and supported by the Belgian government, in 1937 he again travelled through the Congo to continue his work. Health problems caused him to cut short this documentation project, and apparently after this he hardly ever photographed again.*
After a short stay in Poland in 1940 and wandering briefly in a Europe on the brink of war, he returned again to Léopoldville, where he died in 1944.

1 Information based chiefly on F. Morimont: Casimir Zagourski. *In: Photographes de Kinshasa. Revue Noire, Paris, (to be published in) 2001.*

2 A recent publication on Zagourski lists different dates for his birth and death, among other variant information. See: P. Loos: Zagourski. Lost Worlds. *SKIRA, 2001, where the dates are given as 1880 and 1941, respectively.*

Afrikaanse kapsels
African hair styles

Scarificaties (Sarra)

Scarifications (Sarra)

Schotellippen
(l'Afrique Equatoriale Française)
Saucer lips
(French Equatorial Africa)

'Ya-Koma' danseres

'Ya-Koma' dancer

Een Fellah vrouw (l'Afrique Equatoriale Française)

A Fellah woman (French Equatorial Africa)

Kunstmatige schedeldeformaties (Mangbetu)

Artificial skull deformations (Mangbetu)

door/*by* **Gosewijn van Beek**

Status Aparte

In de fotocollectie van het Rijksmuseum voor Volkenkunde zoekt men tevergeefs naar foto's van Aruba. Dat is op het eerste gezicht niet zo opmerkelijk. Ook de omvangrijke Leidse collectie heeft – net als iedere andere verzameling – haar geografische lacunes en Aruba is tenslotte slechts een klein eiland in het zuiden van de Cariben.
Maar toch. Aruba en Nederland hebben een lange gemeenschappelijke geschiedenis en het benedenwindse eiland maakt nog steeds deel uit van het Koninkrijk der Nederlanden. Van andere voormalige wingewesten zoals Indonesië, Suriname en Curaçao, zelfs van de allerkleinste eilanden Saba, St.Eustatius en St.Maarten, vinden we wel foto's die de dubbelzinnige historische band met Nederland illustreren en symboliseren. Zo bezien is de afwezigheid van Aruba in het volkenkundige moedermuseum van het Koninkrijk wel degelijk opvallend. Er is echter meer. Het ontbreken van een fotografisch beeld van Aruba staat niet op zichzelf. Ook etnografisch blijkt Aruba vrijwel een onbeschreven blad te zijn. Voorwerpen van Arubaanse cultuur zijn er in het Leidse museum praktisch niet te vinden. Antropologen hebben kennelijk nauwelijks belangstelling gehad voor Aruba want er bestaan vrijwel geen teksten waaruit men meer te weten kan komen over de cultuur van dit tropische eiland[1]). Dat geeft te denken. Het kan zijn dat de cultuur van het eiland onopgemerkt is gebleven in het geweld van de grotere en economisch belangrijkere rijksdelen. Maar het zou ook kunnen zijn dat reizigers, kolonialen, antropologen en andere fotografen nooit iets opmerkelijks zagen om te fotograferen en te noteren. Heeft Aruba wel cultuur?
De antropologie is besmet met een schuldig verleden. Diegenen die gefotografeerd en onderzocht werden, voelden zich – terecht – vaak slachtoffer van koloniale en wetenschappelijke uitbuiting. Maar misschien is het paradoxaal genoeg wel even vernederend om nooit bestudeerd te zijn geweest, om niet interessant genoeg te zijn bevonden om fotografisch vereeuwigd te worden. Het kan overigens niet zijn dat Aruba een gebrek had of heeft aan cultuur. Waar mensen zijn, is cultuur antropologisch gesproken onvermijdelijk. Het probleem is eerder dat het zowel voor de bezoekers van dit *Happy Island* als voor haar bewoners onduidelijk is wat die Arubaanse cultuur eigenlijk is. Aruba heeft, in het jargon van onze tijd, een identiteitsprobleem.
Dat er geen foto's van Aruba in de Leidse collectie te vinden zijn, hoeft ons er natuurlijk niet van te weerhouden ons een voorstelling te maken hoe zo'n collectie eruit zou kunnen zien. Wat voor opmerkelijke en kenmerkende beelden vallen er te verzamelen op het eiland? Op het eerste gezicht inderdaad weinig. De ansichtkaarten die men in de hoofdplaats Oranjestad kan kopen,

One searches in vain for photographs of Aruba in the photography collection of the National Museum of Ethnology. This may not seem so remarkable. Like any other collection, even the extensive collection in Leiden has its geographic lacunae, and Aruba is after all only a small island in the south of the Caribbean.
But still - Aruba and the Netherlands do share a long history, and this leeward island is to this day a part of the Kingdom of the Netherlands. From other former colonies such as Indonesia, Surinam and Curaçao, even from the very smallest islands of Saba, St. Eustatius and St. Maarten, we in fact do find photographs illustrating and symbolising the ambiguous historical connection with the Netherlands. Seen in that perspective, Aruba's absence from the principle ethnological museum in the Kingdom is most certainly striking. But that is not all. The absence of photographic images of Aruba seems to be a symptom of something larger. Ethnographically, in general, Aruba appears to be virgin territory. There are practically no objects from Aruban culture to be found in the Leiden museum either. Anthropologists have evidently had little interest in Aruba, because there are almost no texts from which one could learn about the culture of this tropical island.[1] That makes one wonder. It could be that the culture of the island has been overshadowed by the larger and economically more important parts of the Dutch empire. But it could also be that travellers, colonials, anthropologists and other photographers never saw anything remarkable enough to bother photographing and writing about. Does Aruba have a culture?
Anthropology is tainted with a guilty past. Those who were photographed and investigated often felt themselves - rightly so - victims of colonial and scientific exploitation. But, paradoxically, it is perhaps equally demeaning to have never been studied, to have not been thought interesting enough to be immortalised photographically. For the rest, it can not be that Aruba lacked, or lacks, a culture. Speaking anthropologically, wherever there are people there is, necessarily, culture. The problem for both visitors to this Happy Island *and its residents is that it is rather unclear what this Aruban culture actually is. To use a catch phrase of our time, Aruba has an identity problem.*
That there are no photographs of Aruba to be found in the Leiden collection of course does not have to stop us from imagining what such a collection would look like. What sort of remarkable and characteristic images could be collected from the island? At first sight there seem indeed to be few. The picture post-

cards that are on sale in the largest city, Oranjestad, don't go much beyond snapshots of a modest chapel, century plants and cacti in the Arikok National Park, the Natural Bridge on the north side of the island, and the obligatory images of swaying palms on the beaches with more or less scantily clad tourists. This is not the material with which photographic and anthropological reputations can be made. No alternative images spring to mind, however. Aruba gives the strong impression of being a 'Western' country in miniature, in which life and the landscape are neatly manicured, defined largely by beaches, hotels and casinos.

Yet one could imagine making anthropological photographs that give a less clean-shaven image of the island. Take, for instance, a photo of the Chinese emporium in San Nicolas, the second city of Aruba. The photograph would show a shelf with souvenirs for the tourists. The remarkable main attraction displayed there are delftware miniature money boxes in the form of Volendam milkmaids, lettered 'Aruba'. Next to them stand delftware Dutch 'wooden shoe' pincushions, with greetings from the same touristic point of origin. Or take a photograph of the Centro Patriotico Arubano. *The logo of the organisation is to be seen on the facade. It shows the head of an Indian chief. To judge by the headdress, he roamed the Western plains of the United States, not Aruba. Then there is a photograph of a young woman, a former stewardess with Air Aruba, carefully painting her house with what she calls 'Indian motifs', in the tradition of her forefathers. In reality, this 'floria' motif was apparently introduced at the beginning of the 20th century by Italian stuccadores. And then there are photographs taken during the weekly performance of Aruban culture organised by the Visitor's Bureau for newly arrived tourists. In one of these photos we see young people dressed up in 19th century European costumes dancing polkas, mazurkas and waltzes in the sultry tropical night. And the photography collection would not be complete without an extensive series on the most important celebration of the Aruban calendar - Fin de Aña, the days around Christmas and New Year's.*

It is as hard to understand directly what is so remarkable about these mental snapshots as it is to interpret real photographs from the Leiden collection. Only from the context of these virtual photographs can we get an idea of their peculiar significance. Why, for instance, do people sell delftware milkmaids to tourists? Why are the shelves not full of new or old 'Indian' objects to be foisted on the tourists? After all, from our other imaginary photographs it appears that Arubans are fascinated by the Indian past of their island. But if we would have to invent captions for the photographs, then these would have to say that such a past never actually existed. The imaginary photograph of the 'Indian' house motifs is in fact an imaginary image of an imaginary past. Only the fresco paintings are themselves real - they are still to be seen - although these evidently originally came from Europe. The same is also true for the old-fashioned dancing in the midst of the Caribbean tropical night that appears to suggest a respectable middle class past. And when it comes to getting dressed up and decorating things, the stunning festival of lights around Christmas beats the most exuberant carnival

komen niet veel verder dan kiekjes van een bescheiden kapelletje, aloëstruiken en cacteeën in het Nationale Park Arikok, de 'Natural Bridge' aan de noordkant van het eiland, en obligate beelden van wuivende palmenstranden met meer of minder schaars geklede toeristen. Dit is niet het materiaal waarmee fotografische en antropologische reputaties worden gemaakt. Alternatieve beelden lijken echter niet voorhanden. Aruba wekt nu eenmaal sterk de indruk van een 'westers' land in miniatuur, waarin het leven en het landschap netjes is aangeharkt en bepaald wordt door stranden, hotels en casino's.

Toch zijn er imaginaire antropologische foto's te maken die een minder gladgeschoren beeld geven van het eiland. Neem bijvoorbeeld die foto van de Chinese Winkel-van-Sinkel in San Nicolas, de tweede stad van Aruba. De foto toont een schap met souvenirs voor de toeristen. Als opmerkelijke hoofdattractie staan daarop uitgestald Delfts blauwe miniatuurspaarpotten in de vorm van Volendammer melkmeisjes met daarop "Aruba". Ernaast staan idem Hollandse klompjes-als-speldenkussens met dezelfde toeristische herkomstaanduiding. Of neem de foto van het *Centro Patriotico Arubano*. Op de gevel staat het logo van deze organisatie. Het toont de kop van een indiaanse hoofdman. Te oordelen naar zijn hoofdtooi is het iemand die ooit op de westelijke plains van de Verenigde Staten rondgelopen heeft en nooit op Aruba. Dan is daar de foto van een jonge vrouw, een gewezen stewardess bij Air Aruba, die haar huis aandachtig aan het beschilderen is met naar haar zeggen 'indiaanse motieven' in de traditie van haar voorouders. In werkelijkheid zijn deze 'floria'-motieven waarschijnlijk in het begin van de vorige eeuw geïntroduceerd door Italiaanse stucadoors. En dan is er nog de foto genomen tijdens de door het toeristenbureau wekelijks georganiseerde uitvoering van Arubaanse cultuur voor nieuw aangekomen toeristen. Op de foto zien we in 19de eeuwse Europese dracht uitgedoste jongeren in de zwoele tropennacht de polka, mazurka en de wals dansen. De fotocollectie zou niet compleet zijn zonder een uitgebreide serie over de belangrijkste feestdagen op de Arubaanse kalender: Fin di Aña, de dagen rond kerst en nieuwjaar.

Net zo min als bij de echte foto's in de Leidse collectie laat het opmerkelijke van deze mentale kiekjes zich direct van het beeld aflezen. Pas uit de context van deze virtuele foto's krijgen we een idee van hun bijzondere betekenis. Waarom bijvoorbeeld verkoopt men Delfts blauwe melkmeisjes aan toeristen? Waarom staan de schappen niet vol met nieuwe of oude 'indiaanse' voorwerpen om aan toeristen te slijten? Uit de andere imaginaire foto's blijkt immers dat Arubanen gefascineerd zijn door het indiaanse verleden van hun eiland. Maar als we bijschriften bij die foto's moesten maken, dan zou daar juist staan dat dat verleden eigenlijk nooit zo bestaan heeft. De imaginaire foto van indiaanse huismotieven is in feite een imaginair beeld van een imaginair verleden. Alleen de frescoschilderingen zelf zijn echt – ze zijn nog steeds te zien – al kwamen ze waarschijnlijk oorspronkelijk uit Europa. Zoals dat ook geldt voor de ouderwetse dansen die een keurig burgermans verleden schijnen te suggereren midden in de Caribische tropennacht. En als het om optuigen en versieren gaat, verslaat het verpletterende lichtjesfestival rond de kerstdagen ook de meest exuberante carnavalsoptocht. Wat is er aan de hand op een Caribisch eiland waar het einde van het jaar intenser wordt beleefd dan Carnaval?

De oorspronkelijke indiaanse bevolking van Aruba is al eeuwen geleden verdwenen: getransporteerd of uitgeroeid. Behalve archeologische vondsten is er niets van deze eerste bewoners overgeleverd. Toch associëren de voornamelijk blanke Arubanen zich graag met deze mythische voorouders, ook al is de huidige bevolking in werkelijkheid een smeltkroes van Nederlandse, Spaanse, Amerikaanse, Chinese, Portugese en andere latere migranten.
De creoolse bewoners die vooral de oostelijke plaats San Nicolas bewonen, worden overigens gemakshalve genegeerd. Aruba houdt volgens velen op bij de eerste huizen van deze 'zwarte' stad rondom de olieraffinaderij. San Nicolas is in hun ogen eigenlijk een klein Curaçao. Net zoals San Nicolas wordt deze creoolse broer in het benedenwindse Koninkrijk geassocieerd met losbandigheid en onberekenbaarheid, met leven als een voortdurend carnaval. Niet voor niets zocht en kreeg Aruba een Status Aparte binnen het Koninkrijk, los van die dominante zwarte buur die de nette Arubaanse tropennacht zou kunnen verstoren.
Vermoedelijk zit hier de kern van het probleem van de foto's die er niet zijn. Aruba is een eiland in de Cariben dat niet Caribisch wil zijn – en het onherroepelijk toch is. De Arubaanse zoektocht naar een eigen culturele identiteit is daardoor eigenlijk een angstig spel van permanente ontkenningen. De overwegend blanke bewoners van het eiland hebben weinig redenen zich te identificeren met de creoolse slachtoffers van slavernij en knechting, net zomin als men zich aangetrokken voelt tot de exuberantie en 'zedenloosheid' van de carnavaleske levensstijl. Maar tegelijkertijd zijn er geen duidelijke alternatieven voorhanden. De Arubaanse levensstijl mag dan nadrukkelijk modern en westers georiënteerd zijn, zich identificeren met Amerika, Nederland of het nabijgelegen urbane Venezuela doet men ook niet, of niet van harte. Dat is even goed te begrijpen als het verzet tegen een Caribisch-creoolse identiteit. Ten opzichte van al deze machtige verre en nabije buren blijft Aruba immers een nauwelijks zichtbaar stofje in het water. Men zou uiteindelijk slechts de ene culturele dominantie inruilen voor een andere.
Dit is het punt waarop de lang geleden verbannen en uitgestorven indianen plotseling weer opstaan om hun diensten aan te bieden. De grote angst van de overwegend blanke Arubaanse bevolking is om cultureel gesproken het onderspit te delven temidden van de dominante culturen die haar omringen. De oorspronkelijke indiaanse bevolking van het eiland is geen bedreiging meer: ze is immers uitgestorven. Tegelijkertijd is de indiaan in het algemeen in de westerse wereld gecanoniseerd als 'goede wilde'. Daarom kon de dode indiaan niet lang geleden herschapen worden als de mythische voorvader van de blanke Arubaan, ook al is er biologisch en cultureel weinig dat een dergelijk vaderschap aannemelijk maakt. Belangrijker voor hen is, dat de eigenschappen die ze toedichten aan hun indiaanse roots – bescheidenheid, ingetogenheid, innerlijke harmonie en trots – in hun beleving positief contrasteren met de veronderstelde bandeloosheid van de creoolse levensstijl.
De preoccupatie van Arubanen met hun indiaanse wortels is een voorbeeld van *invention of tradition*. Het is een verschijnsel waaraan iedere cultuur lijdt, ook de onze. Ons eigen 'traditionele' kerstfeest is daarvan een goed voorbeeld. Dat betekent niet dat het hier gaat om oppervlakkige verzinsels zonder reële betekenis, integendeel. Dit indiaanse verleden, ook al is ze grotendeels

parade. What is going on here, on a Caribbean island where Christmas and New Years is experienced more intensely, and is more important than Carnival?
The original Indian population of Aruba had already disappeared centuries ago: shipped off as slaves or exterminated. Except for archaeological finds there is nothing of these first inhabitants that has been handed down to us. Yet the primarily white Arubans readily associate themselves with these mythic forefathers, even though the present population is in reality a melting pot of Dutch, Spanish, American, Chinese, Portuguese and other later migrants. For the sake of convenience, the Creole residents, who primarily live in and around the eastern town of San Nicolas, are ignored. In the view of many, Aruba stops at the first houses of this 'black' city around the oil refinery. In their eyes San Nicolas is really a small Curaçao. Like San Nicolas, this Creole brother in the Leeward Island Kingdom is associated with profligacy and unpredictability, with life as constant Carnival. It is not for nothing that Aruba sought - and obtained - a separate status or 'status aparte' within the Kingdom, separate from that dominant black neighbour who would disrupt the tidy Aruban tropical night.
Presumably this is the nub of the problem of the nonexistent photographs. Aruba is an island in the Caribbean that doesn't want to be Caribbean - and yet irrevocably is. This makes Aruba's search for its own cultural identity an anxious game of permanent denial. The preponderantly white residents of the island have little reason to identify themselves with the Creole victims of slavery and subjugation, just as little as these people feel themselves attracted to the exuberance and 'depravity' of the carnivalesque lifestyle. But at the same time there are no clear alternatives at hand. The Aruban lifestyle may well be emphatically modern and Western-oriented, but the people there do not identify themselves with America, the Netherlands, or the nearby urbane Venezuela either - at least not from the heart. That is as understandable as their resistance against a Caribbean/Creole identity. Compared to these powerful neighbours near and far, Aruba is after all a scarcely visible dust mote in the water. They would ultimately only be exchanging one cultural domination for another.
This is the point at which the long ago exported or extinct Indians are suddenly resurrected to be of service. The great fear of the predominantly white Aruban population is to have to, culturally speaking, taste defeat amidst the dominant cultures surrounding them. The original Indian inhabitants of the island are no longer a threat; they have, after all, died out. At the same time, in the Western world the generic Indian has been canonised as the 'good savage'. Therefore, not long ago the dead Indian could be resurrected as the mythic forefather of the white Arubans, although biologically and culturally there is nothing that makes such a paternity plausible. What is more important for them is that the qualities they ascribe to these Indian roots - unpretentiousness, modesty, inner harmony and pride - contrast positively in their experience with the supposed absence of restraint in the Creole lifestyle.
The preoccupation of the Arubans with their Indian roots is an example

of invention of tradition. It is a phenomenon from which every culture suffers, including ours. Our own 'traditional' Christmas festival being a good example. That does not mean that we are dealing here with superficial fabrications without any real meaning; quite the contrary. This Indian past, even if it is largely a construction, gives a very particular significance and depth to the identity of white Arubans, both as differentiated from and as part of a complex Caribbean world.

Of course there is no single cultural reality so cut and dried as this sketch suggests. A cultural preoccupation is not necessarily an obsession. Thus, for example, in the imaginary photographs in the collection we saw no Indian souvenirs. Aruba sells itself in the form of imported, Delft blue, Volendam milkmaids, a couple of wisps of nature and a lot of swaying palm trees on beaches. There are indeed 'Indian' souvenirs, but it is perhaps typical of Aruba that these souvenirs - earthenware pots and pans - are all imported from Venezuela, and are only available in one modest shop far from the tourist centre. The attempts by the Aruban culture centre Cas di Cultura *to interest local artisans in Indian-inspired objects have never taken off. The folk dancing that the tourists can admire every week has equally little Indian inspiration, and it goes without saying that this is also true for the most important days in the Aruban year, Christmas and New Year's. This only confirms what outsiders think they know and what Arubans fear: that Aruban culture is nothing more than a melting pot of alien influences without a clear winner. That is an error, but it is characteristic of the island's residents that they want to see this confirmed in the one thing that there really isn't: an Indian past. It is merely the doubt about its identity that seems to make Aruba photographically and anthropologically invisible.*

1 *Several sources are:* Ken ta arubiano? Sociale integratie en natievorming op Aruba, *by Luc Alofs and Leontine Merkies (Leiden: Koninklijk Instituut voor Taal-, Land- en Volkenkunde, 1900),* Arubaans akkoord, Opstellen over Aruba van voor de komst van de olieindustrie, *ed. Luc Alofs, et al. (Bloemendaal: Stichting Libri Antilliani, 1997) and the older booklet,* A Pictorial Résumé of Natural, Historical and Cultural Monuments of Aruba, *by John Merryweather (Aruba: De Wit Stores, 1972).*

geconstrueerd, geeft een zeer eigen betekenis en diepte aan de identiteit van de blanke Arubanen, zowel tegenover als binnen de complexe Caribische wereld.

Natuurlijk is geen enkele culturele werkelijkheid zo rechtlijnig als deze schets suggereert. Een culturele preoccupatie is niet noodzakelijk een obsessie. Zo zagen we op de imaginaire foto's van de collectie bijvoorbeeld geen indiaanse souvenirs. Aruba verkoopt zichzelf in de vorm van geïmporteerde, Delfts blauwe, Volendamse melkmeisjes, een enkel plukje natuur en veel wuivende palmenstranden. 'Indiaanse' souvenirs zijn er wel, maar het is wellicht typisch voor Aruba dat deze souvenirs – aardewerken potten en pannen – uit Venezuela worden geïmporteerd en slechts in één bescheiden winkeltje ver van het toeristencentrum verkrijgbaar zijn. De pogingen van het Arubaanse culturele centrum *Cas di Cultura* om lokale kunstenaars te interesseren voor indiaans geïnspireerde ontwerpen hebben nooit vrucht afgeworpen. De folkloristische dansen die toeristen elke week kunnen bewonderen zijn evenmin indiaans geinspireerd en dat geldt vanzelfsprekend ook voor de belangrijkste dagen van het Arubaanse jaar: kerst en nieuwjaar. Dit bevestigt alleen maar wat de buitenstaander denkt te weten en de Arubaan vreest: dat de Arubaanse cultuur niet meer is dan een smeltkroes van buitenlandse invloeden zonder duidelijke winnaar. Dat is een vergissing, maar het kenmerkt de eilandbewoners dat ze zich zo graag bevestigd willen zien in het enige wat er werkelijk niet is: een indiaans verleden. Het is alleen de twijfel over haar identiteit die Aruba fotografisch en antropologisch onzichtbaar blijkt te maken.

1 Enkele bronnen zijn: *Ken ta arubiano? Sociale integratie en natievorming op Aruba*, van Luc Alofs en Leontine Merkies (Leiden: Koninklijk Instituut voor Taal-, Land- en Volkenkunde, 1990), *Arubaans akkoord. Opstellen over Aruba van voor de komst van de olieindustrie*, onder redactie van Luc Alofs e.a. (Bloemendaal: Stichting Libri Antilliani, 1997) en het oudere boekje: *A Pictorial Résumé of Natural, Historical, and Cultural Monuments of Aruba van John Merryweather* (Aruba: De Wit Stores, 1972)

COLONIAL ELEGANCE
SERO ALEJANDRO 18-D
43384-48224
Tin pabo locual bo cas falta
NO BIBA MAS DEN UN CAS SIN BIBA !!!

Aruba
Aruba
ruba
Aruba

Nadine Salas: Aruba 2001

Diana Blok: 'Nederlanders' World Expo Sevilla 1992

Linda Roodenburg doet onderzoek naar koloniale en antropologische fotografie en film voor het Rijksmuseum voor Volkenkunde in Leiden en andere instellingen in Nederland. Ze stelde diverse publicaties samen over hedendaagse fotografie. Momenteel werkt zij o.a. aan een project over film en fotografie uit Nieuw-Guinea en aan het *Rotterdams Kookboek*: een antropologisch/fotografisch onderzoek naar eetculturen in Rotterdam.
Linda Roodenburg is doing research into colonial and anthropological photography and film for the National Museum of Ethnology in Leiden and other institutions in the Netherlands. She has edited diverse publications on contemporary photography. Her present projects include an exhibition and publication with photography and film from New Guinea and The Rotterdam Cookbook, *an anthropological/photographic investigation of the foodcultures of that city.*

Gosewijn van Beek is als antropoloog verbonden aan de Universiteit van Amsterdam. Hij deed onderzoek in Papua New Guinea, Burkina Fasso en Aruba naar aspecten van technologie, materiële cultuur en massaconsumptie.
Gosewijn van Beek is an anthropologist connected with the University of Amsterdam. He has done research in Papua New Guinea, Burkina Fasso and Aruba into aspects of technology, material culture and mass consumption.

Eric Venbrux is verbonden aan het Centre for Pacific and Asian Studies van de Katholieke Universiteit Nijmegen. Hij verricht met een fellowship van de Koninklijke Nederlandse Akademie van Wetenschappen onderzoek naar de geschiedenis van het onderlinge verband tussen Aboriginal materiële cultuur en de wijdere wereld.
Eric Venbrux is a senior research fellow of the Royal Netherlands Academy of Arts and Sciences at the Centre for Pacific and Asian Studies, University of Nijmegen. His main current research interest is the history of the interrelationship of Aboriginal material culture with the wider world.

Philip Jones is hoofdconservator van de afdeling Antropologie van het South Australian Museum in Adelaide, Australië. Zijn belangstelling gaat in het bijzonder uit naar Aboriginal materiële cultuur en de geschiedenis van interactie aan de Australische kolonisatiegrens.
Philip Jones is a senior curator in the Anthropology Department of the South Australian Museum, with particular interests in Aboriginal material culture and the history of interaction on the Australian frontier.

Nol Wentholt is kunsthistoricus en doet momenteel onderzoek naar de expedities uitgezonden door het Koninklijk Nederlands Aardrijkskundig Genootschap en bereid hierover een tentoonstelling voor in het Tropenmuseum in Amsterdam (2003).
Nol Wentholt is an art historian, presently doing research into the expeditions dispatched by the Royal Dutch Geographical Society, and preparing an exhibition regarding them for the Tropical Museum in Amsterdam (2003).